Paul Guimard

Rue du Havre

Denoël

A Jean

PREMIÈRE PARTIE

JULIEN LEGRIS

*...l'observateur immobile a cet avantage
de surprendre les habitudes de la vie.*

Marcel Aymé, *La Jument verte.*

CHAPITRE PREMIER

Une fois de plus Julien Legris remua des idées d'évasion. Le petit jour favorise les songes creux car l'espérance est matinale. Souvent, à cette heure incertaine, l'envie l'effleurait d'oser le geste qui lui permettrait d'échapper à sa condition de matricule. Il se laissait bercer quelques moments par l'audace anodine de ses velléités puis il capitulait devant l'évidence qu'aucune fuite n'était possible.

Comme chaque matin, il regarda ses compagnons d'infortune, cherchant autour de lui une étincelle humaine. Il eût suffi de peu pour lui réchauffer le cœur : à cet égard il avait un appétit d'oiseau; mais ce peu était trop. Du morne et las troupeau qui avançait autour de lui, à petits pas, Julien savait qu'il ne fallait attendre nul encouragement à la révolte, pas même un clin d'œil amical ou complice. L'énorme bâtiment pesait sur lui de toute la force de ses murs épais et le troupeau savait qu'en un pareil endroit la notion d'escapade était saugrenue.

« Pourtant, soufflèrent les démons du matin, il suffirait peut-être d'un geste pour... »

Une bourrade remit Julien dans le droit chemin. Il suivit l'ordonnance de cet univers concentrationnaire dont il connaissait la mécanique, les mouvements secrets et l'odeur puissante, inimitable. Noyé dans la masse il parcourut un couloir formé de deux grilles aux barreaux massifs. Un haut-parleur aboya des ordres incompréhensibles entremêlés d'informes chiffres. Le troupeau défila entre deux cages d'acier et de verre dans lesquelles deux hommes en uniforme posaient un regard attentif sur les dos voûtés qui glissaient devant eux. Puis ce furent un escalier, un autre couloir sombre, sans issue, dans lequel résonnait le sourd tumulte de milliers de pas. Partout des écriteaux : Défense de... Il est interdit de... Sous peine de...

Dans la grande cour la lumière était cruelle. Là encore, il y avait des grilles, des murs noirs; mais au-dessus de leurs perspectives obliques un grand pan de ciel bleu laissait déchiffrer la promesse vaine d'une belle journée.

Julien Legris alluma la première cigarette de la journée. Près de lui on cria des numéros et, en bon ordre, une partie du troupeau s'engouffra dans de longs fourgons verts dont les portes furent verrouillées automatiquement.

Des policiers montaient une garde débonnaire.

« Dans une *vraie* prison, se dit Julien, je n'aurais pas le droit de fumer. »

Il cessa de jouer au prisonnier et sortit de la gare Saint-Lazare. Les fourgons verts redevinrent ce qu'ils étaient : des autobus refermant leurs portes à glissière sur des cargaisons de banlieusards. Aux marches de la grande ville, la foule qui venait de Saint-Germain, du Pecq ou de Maisons-Laffitte, s'éparpilla comme un sac de billes lancé sur un trottoir.

En quittant la Cour de Rome, Julien Legris se laissa porter par la foule vers la rue du Havre. Aux approches du Lycée Condorcet, il manœuvra pour se réfugier dans le décrochement que fait le bâtiment avec l'immeuble voisin. Ce retrait dérisoire est suffisant pour qu'un homme de faible corpulence puisse stationner sur la frange du flot sans être emporté par lui. Julien ouvrit une mallette et commença sa journée de travail.

— Tentez votre chance... après-demain le tirage...

Ce métier lui convenait mal. On peut croire aux promesses d'une gitane misérable et royale, voire d'un mutilé car, outre les bossus, certains disgraciés — chacun le sait — portent bonheur; mais les soixante ans de Julien Legris ne s'ornaient d'aucune infirmité spectaculaire. Rien dans son aspect n'attirait l'attention. La seule vue de ce morne marchand suffisait à écarter toute idée de chance possible ou d'imaginable aventure. Vendant mal, il vendait peu. Ce peu ne le faisait pas vivre mais l'empêchait de mourir.

— Tentez votre chance...

Une grosse femme passa devant lui. Il entendit :

— Je lui ai répondu : « Mon petit bonhomme, je n'ai pas l'habitude qu'on me marche sur les pieds... »

« Huit heures quarante-deux! » pensa Julien machinalement.

Aux matinées de Saint-Lazare on peut mettre une heure sur chaque visage et cette particularité imprime aux environs de la gare un caractère singulier. Le quartier Saint-Lazare est soumis aux marées. Le flot montant déferle chaque matin. Les mascarets de la Seine ou du Couesnon se prolongent dans la vague énorme des banlieues de l'Ouest comme si, par d'invisibles correspondances, tous ces rails qui viennent de la mer en transmettaient les pulsations. L'amplitude des marées ne varie guère. A l'exception de l'équinoxe d'été où le flot monte plus haut sur les quais de la gare, c'est chaque jour le même volume, le même niveau et la même couleur triste des océans du Nord.

La marée est moutonnante tout le jour. Et le jusant, le soir venu, découvre le quartier comme il découvre une grève. Le flot se retire, laissant dans son lit à sec quelques mares à crevettes, des flaques de petites vendeuses du « Printemps » prises au piège du reflux. Les rues frénétiques deviennent des chenaux vides sous le balisage inutile des enseignes au néon.

Nul ne gîte à Saint-Lazare. C'est un quartier de passe. Les restaurants mettent volontiers l'accent sur l'extrême vélocité du service; le steack minute, le café express y sont chez eux. Les marchands à la sauvette, profitant de l'anonymat de la foule, se coulent dans les courants avec des agilités d'étrilles. L'amour même subit la loi de l'horaire. Dans les rades exiguës des portes cochères, leurs ports d'attaches, des filles qui ont de mauvaises mœurs, de mauvaises chaussures et de mauvaises santés, proposent à voix tristes d'expéditives félicités qui tiennent compte de l'heure du dernier train. Parfois se détache du flot un homme assez las pour s'amarrer à ces corps morts. On sait d'avance que l'escale sera brève et que le chant de la sirène ne couvrira pas le sifflet du chef de gare.

— Tentez votre chance...

Devant Julien, comme devant une borne, défilait une humanité indifférente, hétéroclite, que jour après jour il avait appris à déchiffrer, à connaître et, faute de mieux, à aimer. En dix années de station immobile, il avait levé les masques de beaucoup de ces robots qui, à d'invariables heures, le frôlaient sans le voir.

Sa position stratégique, à l'angle d'un magasin de nouveautés, l'aidait beaucoup dans ce patient travail, car les deux vitrines jumelles où voisinaient la chemise et le chemisier retenaient les hommes, les femmes et les couples. L'espace de quelques secondes les passants oubliaient d'être des automates pressés pour redevenir des humains. Julien pouvait alors saisir un mot, une attitude, un geste par lesquels un coin d'âme se découvrait. En mettant bout à bout ces matériaux volés, l'observateur clandestin était parvenu à une connaissance aiguë de ses personnages. D'abord, il avait écouté et regardé sans but, sans méthode, par désœuvrement. Puis certains visages s'étaient imposés. Julien s'était ainsi constitué, à l'insu des intéressés, un groupe d'amis. Il ne leur avait jamais dit autre chose que « tentez votre chance! » Il ne les avait jamais côtoyés plus d'une minute. Mais ces brefs contacts multipliés par dix années avaient acquis une surprenante densité. Julien savait que, chaque jour, les membres de sa mythique famille comparaîtraient devant lui sans plus le voir que s'il eût été fait de fumée, mais lui livrant chacun une parcelle de sa vérité intime qui rejoindrait, sur d'imaginaires fiches, la masse des petits détails capturés au vol. Tout s'ordonnait comme si les trains de banlieue eussent été créés pour déposer devant lui, avec une infaillible régularité, les acteurs de son univers.

Ainsi la grosse femme de huit heures quarante-deux... « Pas l'habitude qu'on me marche sur les pieds! » Les cheveux pendaient sur les yeux, les yeux sur les joues, les joues sur le cou, la gorge sur le ventre, le ventre sur les cuisses. Cette énorme masse de chair dont tous les plans étaient décalés vers le sol donnait l'impression de fondre. Julien l'avait placée dans sa galerie de familiers parce qu'elle lui servait de signe précurseur. Lorsqu'elle passait devant lui, mâchant d'amères revendications, il savait que François n'était pas loin. Or, François était la perle de sa collection, son meilleur ami.

— Tentez votre chance... après-demain le tirage! Julien ajouta : « Ici, le gagnant du gros lot. » Mais il le fit à voix coupable et basse. Au reste, à quoi bon cette audace? La première heure de vente était mauvaise, il le savait. Une préoccupation unique animait chaque mouvement de la foule : l'heure.

Au bras d'un blouson de cuir désinvolte et faraud une brunette s'attarda devant les parures d'orlon de la vitrine.

— Tu les trouves formidables, toi, les seins de Miss France?

Le blouson de cuir chuchota une réponse qui fit roucouler la brunette de huit heures quarante-trois.

Julien décida qu'il préférait le blouson de daim qui, la semaine précédente, accompagnait la fille. Il semblait plus tendre, plus romantique et moins naïf cependant que ce blouson de suédine du mois passé. Mais peu semblait importer le contenu à cette brunette pourvu qu'il fût recouvert d'un blouson. La fidélité est multiforme.

Huit heures quarante-quatre : François. Julien distingua de loin les raides cheveux blonds du garçon auquel il vouait une attention scrupuleuse parce qu'il avait reconnu en lui l'inimitable mélancolie des solitaires. Ainsi les drogués, les mystiques, les tuberculeux, se dépistent entre eux par de menus signes qu'ignorent les gens ordinaires.

Julien regarda François passer devant lui, de cette démarche lente mais sans pesanteur qui semblait insolite dans les remous de la foule. Il connaissait bien ce visage lointain pour l'avoir appris jour après jour tandis que le garçon parcourait ces années essentielles qui mènent à l'âge d'homme. Julien avait vu les tendresses de l'adolescence faire place à cette expression émouvante que les jeunes hommes conservent peu de temps : l'expression même des champs au début des mois de juin, à l'avant-seuil de la triste maturité, de la trop grande exubérance qui est le commencement de la mort, mais dégagée déjà de la mièvrerie des printemps. Il avait vu se former peu à peu, se creuser, les rides qui accrochaient une sévérité légère sur un front jusque-là enfantin. Il avait vu s'alourdir du poids de la connaissance le regard gris dont il était malaisé de percer la surface.

François disparut vers le boulevard Haussmann.

— Donnez-moi un dixième, dit une voix et Julien découvrit près de lui un homme hilare, robuste et bien vêtu.

— Se terminant par 4, à cause de ça, dit l'homme en montrant les quatre doigts de la main droite dont le pouce était tranché net.

— Je l'ai perdu à la Main de Massiges, en lançant une grenade!

Et comme Julien tardait à comprendre, l'homme précisa :

— J'ai laissé mon pouce à la Main de Massiges... V'saisissez? C'est un comble, non? Mais depuis, avec le numéro 4, je gagne à tous les coups.

Julien donna le dixième et tandis qu'il hésitait entre la compassion et la rigolade, le client s'en fut, mécontent que son histoire n'eût pas obtenu le succès habituel. Encore un qui ne reviendrait plus!

Huit heures cinquante-six : Catherine.

Elle portait une robe de drap qui convenait à cette sorte de beauté qu'ont parfois les filles de la Meuse : frileuse, peureuse, douce. Elle marchait vite. Elle marchait toujours vite. Vers quoi? Catherine ne s'était jamais arrêtée devant la chemiserie au moment de dire à une amie : « Je suis ceci, je fais cela... » Elle tourna vers la droite de la rue de Provence, mais Julien ignorait l'aboutissement de ce chemin quotidien.

« François aimerait cette robe », se dit-il.

Dans l'esprit de Julien, tout ce qui touchait Catherine devait intéresser François et inversement. Il tenait pour certain que les deux jeunes gens étaient faits l'un pour l'autre comme le vent pour la mer, la main pour la main. Des mois d'observation avaient fortifié cette conviction. Mais le train de François arrivait à huit heures quarante et une, celui de Catherine à huit heures cinquante-deux. Chaque jour, Julien voyait passer devant lui ces deux êtres complémentaires séparés par une éternité de onze minutes dont la dimension tragique le consternait. François et Catherine avaient entre eux et leur possible bonheur une série de barrières de bronze : l'esprit de ponctualité de la Société Nationale des Chemins de Fer Français, les trois huit, la productivité, divinités moins flexibles que celles de la mythologie. Les grands amants antiques luttaient contre une fatalité que pouvait renverser une pichenette des dieux convenablement soudoyés. Alors que l'offrande d'un pot de miel, voire d'un bélier à un chef de gare...

Julien savait que les montagnes se chevaucheraient avant qu'un train rejoigne l'autre. Longtemps il avait mis son espoir en ces brouillards et ces verglas perturbateurs d'horaires. Parfois, il avait cru toucher au but en apprenant, certains matins de neige, que le train de François avait un retard important. Mais le train de Catherine accusant invariablement un retard semblable, le fossé n'avait jamais été comblé. Comme l'eau du Styx au bord des lèvres du damné, deux êtres faits l'un pour l'autre restaient à onze minutes de leur rencontre.

Neuf heures... l'heure morte. Julien traversa la rue du Havre pour aller boire un café-crème. Compte tenu de son budget, cette habitude était un luxe byzantin; mais elle représentait l'effort tenace d'un homme seul pour entrer en communication avec le reste du monde. Effort toujours vain! et cependant, Julien se fût contenté de peu : que le garçon du café, par exemple, lui accordât autre chose que l'intérêt abstrait du vendeur pour l'acheteur. D'autres clients, moins anciens que lui, étaient salués, à leur entrée dans le bistrot, avec cette familiarité déférente qui constitue une promotion sociale et humaine :

— Et aujourd'hui, monsieur Paul, la même chose?

Depuis quinze ans, chaque matin, Julien achetait pour trente francs l'espoir que le regard des hommes noirs et blancs s'attarderait sur lui avec sympathie. Comme il eût alors aimé s'accouder au comptoir et lancer de ces phrases banales et chaleureuses qui roulent si bien sur le zinc.

Hélas ! Depuis quinze ans tous les garçons successifs de l'établissement disaient :

— Et pour Monsieur, qu'est-ce que ce sera ?

Une seule fois il avait osé répondre : « La même chose. »

Le serveur l'avait dévisagé d'un œil interrogateur et Julien avait ajouté très vite, pour prévenir la question :

— Un café-crème.

Jamais plus il n'avait pris le risque d'un semblable affront.

— Un café-crème, dit-il au garçon.

Le dernier retardataire de Condorcet, le front lourd de racines cubiques mal digérées, franchit la triste porte du lycée. La grande hâte du matin s'apaisa. Les courants de la rue du Havre, qui débordaient sur la chaussée, rentrèrent sagement dans le lit des trottoirs. Les premiers flâneurs apparurent.

« Onze minutes, songea Julien, ce n'est pourtant pas le bout du monde. »

CHAPITRE II

On devient malheureux mais on naît solitaire. La solitude est une maladie dont le virus est inconnu et l'évolution irréversible. Parfois, dans sa chambre meublée (si peu) de Ville-d'Avray, Julien Legris, à la poursuite du miséricordieux sommeil, tentait de refaire le chemin qui l'avait conduit à ce désert glacé de la soixantaine. Mais aussi loin que portait sa mémoire, il ne revoyait qu'une plate étendue. Nul événement capital, nulle date mémorable n'émergeaient de la grisaille pour baliser la route. Cette grande épaisseur du temps, Julien pouvait la déchiffrer d'un seul coup d'œil car elle s'étendait invariable, à perte de souvenir.

Au reste, son souci n'empruntait aucune des couleurs théâtrales qui, par leur excès même, l'eussent consolé. Ses sentiments restaient à l'échelle d'un vocabulaire mesuré où transparaissait la timidité des humbles en face

des mots. Pour parler de ses chagrins il disait
« mes ennuis ». Il disait « c'était dur » en
parlant de Verdun et « je suis fatigué » lorsqu'il était malade. Il faut avoir des loisirs et
une certaine fortune pour « adorer » ou « souf-
frir atrocement ».

En vérité, Julien ne s'était jamais trouvé
dans le cas d'affronter un grand malheur. La
vie s'était contentée de le pousser sur la touche,
de l'éliminer progressivement comme fait l'organisme d'un corps étranger. Il était né le
2 janvier 1893 à Sillé-sur-Lure, un gros bourg
maussade et propre qui ruminait sa préten-
tion de chef-lieu de canton aux frontières de la
Vendée, de la Bretagne et de l'Anjou. Cette
position géographique faisait de Sillé un carrefour où se mêlaient trois influences lourdes
d'Histoire : la douceur angevine telle que
l'exaltèrent les Marotiques, la rudesse armo-
ricaine et le mysticisme vendéen qui traversa
la Loire avec les Chouans de Messieurs de
Charette et consorts du temps qu'on emportait encore sa petite patrie à la pointe de ses
sabots.

Sur un plan plus quotidien, trois influences
aussi conditionnaient la population mâle de
Sillé : le noah, le vin d'Anjou et le muscadet,
trois vins blancs très alertes et dont les effets
sont divers. Ainsi le noah, cher aux Vendéens,
procure-t-il à ses fervents une funeste démence
qui les pousse à éventrer la famille à coups

de serfouette, à incendier la demeure ancestrale et ses dépendances avant de s'aller pendre au pommier le plus proche. Le vin d'Anjou, d'humeur plus douce, invite à la sensualité assortie souvent d'exhibitionnisme, voire d'outrages dont les petites bergères sont les victimes habituelles. En Anjou, la demi-bouteille s'appelle une fillette. « Baiser une fillette » ne signifie rien d'autre que se désaltérer; mais lorsqu'un brave père de famille prend l'expression au pied de la lettre, les tribunaux savent être indulgents. Quant au muscadet breton, il laisse à ses usagers toute une gamme de nuances entre la fureur et l'excessive tendresse. C'est l'aristocrate des vins blancs régionaux. Mais à Sillé, quelle que fût l'option, la dose quotidienne de dix à douze litres était de règle pour l'autochtone.

Julien fut conçu au vin d'Anjou. Au retour d'une réunion amicale des Anciens du 65ᵉ R.I. le père Legris fit subir à son épouse un traitement si gaillard que la suite était prévisible. Pourtant lorsqu'il apprit, un mois plus tard, que son coup de sang aurait des prolongements, il en ressentit une grande amertume. Passe encore de brandir, mais créer à son âge! L'aînée des filles était déjà mariée... Les camarades et les voisins allaient faire des gorges chaudes.

Le père noya son déplaisir dans le noah. C'est dire que la vie fœtale de Julien fut agitée. Mais les scènes de violence assorties de sournois coups bas sur la personne de la mère de famille n'obtinrent pas le résultat escompté. L'enfant continua son petit bonhomme de chemin et, à l'aube de l'année nouvelle, un gros garçon ponctua d'un vagissement victorieux son entrée dans le monde. Ce fut le seul cri de victoire qu'il eût l'occasion de pousser. Du moins les fées démunies qui se penchèrent sur son berceau lui firent-elles don d'un grand capital de résignation.

Dans cette famille qui ne l'avait pas souhaité la jeunesse de Julien ne fut pas très joyeuse, sans qu'il pût cependant prétendre à la condition d'enfant martyr. Il fit la Grande Guerre sans autre action d'éclat que celle de survivre. A la Marne, au Chemin-des-Dames, à Verdun, aux cotes 183, 209 et la suite, des centaines de divisions bavaroises s'acharnèrent en vain contre cette humble cible. Julien ne reçut pas une égratignure. Il regagna ses foyers sans un galon ni une médaille, ce qui parut suspect, et seul à connaître l'effrayante somme de courage qu'il avait dépensée pour traverser le cauchemar sans beaucoup d'héroïsme mais sans lâcheté visible. Nul ne s'avisa qu'il était le vrai Soldat Inconnu; mais un Inconnu vivant n'a pas de valeur exemplaire. Infime acteur d'une épopée, il en ramenait un ulcère d'estomac et des varices, blessures sans gloire qu'il avait mis quatre années à parfaire.

En 1920, Julien se maria sans amour et sans ennui. En 1922, sa femme mourut d'un cancer après que le médecin de famille eut cent fois répété que les troubles dont elle souffrait étaient d'origine nerveuse. Cette mort plongea Julien dans un engourdissement dont il s'éveilla à l'occasion de la seconde guerre. Les années avaient passé très vite, comme elles font lorsqu'elles sont vides.

Pendant l'Occupation, Julien s'enrôla dans les rangs du Secours national, la fabrique de bas de soie dont il était représentant ayant succombé à la pénurie de matières premières et secondes. Il dut quitter son village natal et cet éloignement le sauva car la Libération fut fatale à Sillé-sur-Lure qui se flattait pourtant de vivre heureux, vivant caché, loin de tout objectif stratégique. Les Allemands subodorèrent qu'un état-major allié bivouaquait dans la mairie au moment même où les Américains soupçonnaient une division S.S. de se camoufler sous les tilleuls du mail. Au vrai, nul militaire n'avait jamais manifesté la moindre velléité de s'intéresser à Sillé; mais à ce point de la guerre, le front était d'une déconcertante plasticité, les services de renseignements restaient en retard d'une patrouille et les stratèges, sous quelque drapeau qu'ils combattissent, estimaient que deux précautions valaient mieux qu'une. En foi de quoi, des vagues panachées de Messerschmitt et de

Bristol-Havilland réduisirent Sillé-sur-Lure à l'état de terrain vague dans le temps remarquable de douze minutes quarante-cinq secondes.

Jusqu'à ce fâcheux épisode qui ne fit pas grand bruit dans le tumulte de la tragédie ambiante, Julien possédait encore une famille, quelques amis, un métier, une manière, en somme, de contexte qui le rattachait à son temps. Certes, le tout était de qualité médiocre. Sa famille ne constituait pas un foyer, ses amis étaient à peine des camarades et son métier occupait peu l'esprit; mais pour insuffisant que fût chaque élément considéré en soi, l'ensemble pouvait à la rigueur meubler une existence point trop ambitieuse. Tout cela disparut sous les décombres de Sillé.

Sur le plan purement professionnel, la Libération n'apporta pas à Julien les compensations espérées. Certes, la soie revint avec la liberté mais aussi le nylon, celui-ci rendant la première dérisoire et anachronique. Grâce à sa carte d'ancien combattant, Julien obtint le privilège de vendre des dixièmes des Gueules Cassées à l'angle du numéro 6 de la rue du Havre.

Treize heures : l'étale de basse mer à Saint-Lazare. Julien referma sa mallette et s'en fut déjeuner. Les oasis sont rares dans ce quartier sans loisirs et Julien appréciait les verdures du square Louis-XVI. On ne saurait parler de frondaisons. La fumée des locomotives n'encourage pas la croissance des végétaux. Mais, tel qu'il est, ce jardinet mélancolique permet une halte en marge de la frénésie du boulevard Haussmann.

Julien s'assit sur un banc familier, face à la chapelle expiatoire consacrée à la mémoire du pauvre roi-serrurier, et commença son repas.

Longtemps il avait ressenti de la gêne à ouvrir sa gamelle en aussi funèbre compagnie, imaginant que Louis XVI et Marie-Antoinette, découpés dans le sens de l'Histoire, reposaient, la tête entre les jambes, à quelques mètres de son banc. Un gardien complaisant l'avait détrompé; mais Julien, depuis lors, regrettait que l'étalage fût factice et vide le tombeau. En face de ce trompeur mausolée, il éprouvait la même impression que ce jour où il était retourné à Sillé-sur-Lure pour régler des problèmes relatifs à la sépulture des siens. On lui avait montré, dans un coin du cimetière, des dalles sur lesquelles il avait lu les noms connus; mais il savait que ces pierres marquaient seulement une place abstraite et non pas le lieu précis où des corps achevaient de retourner à cette terre qui les avait nourris. L'identification des victimes s'avérant impossible à cause de l'extrême efficacité du bombardement, la Municipalité, en l'absence de tout reste utilisable, avait pris le parti d'édifier des simulacres de tombes. Ce procédé conciliait évidemment les impératifs d'un état de fait inédit et les règles de la bienséance traditionnelle. Mais Julien, en face des dalles vaines, avait compris que sa famille était réellement *disparue*, puisque rien d'elle ne subsistait, pas même des ossements pieusement rassemblés. Il s'était senti doublement orphelin.

Quant au village, pas une pierre ne permettait d'évoquer des souvenirs d'enfance. Sillé-sur-Lure avait été reconstruit de fond en comble grâce aux dons de vieilles dames canadiennes. Le gros bourg, jadis étalé au carrefour des routes nationales, s'était trouvé résumé en deux buildings géants faits de vitriplex et d'acier laminé. Les paysans éberlués durent s'initier à la pratique du vide-ordures et de la cuisine fonctionnelle. L'adaptation de l'infrarouge aux recettes de la gastronomie locale s'avéra délicate et maintes blanquettes souffrirent de l'emploi inconsidéré du thermostat. Les rescapés du bombardement firent péniblement l'apprentissage de ce modernisme qu'on leur imposait.

Le curé, entre autres, ne vit pas sans stupeur s'élever les murs asymétriques de la nouvelle église et il s'en fallut de peu que la messe inaugurale ne tournât à la révolution. Un Dominicain, venu de Paris, s'efforça vainement d'expliquer aux ouailles que la représentation schématique des symboles chrétiens relevait de la plus haute spiritualité et que l'iconographie moderne exigeait que le Saint-Esprit se réduisît à des lignes violentes et brèves. Les femmes enceintes désertèrent l'église après que l'une d'elles eut mis au monde un monstre bicéphale pour avoir trop longuement prié devant un saint Joseph d'une technique déroutante. De même, le distributeur automatique d'hosties consacrées n'obtint pas le succès qu'escomptait le généreux donateur américain.

Pourtant, l'influence du milieu est si forte que les survivants de Sillé-sur-Lure rajeunirent mentalement dans ce cadre tout neuf. En voyant l'austère pharmacienne patauger en bikini dans la piscine qui remplaçait le marché couvert, Julien comprit que rien n'existait plus de sa vie antérieure, ni les morts ni les vifs. Il regagna Paris, conscient de l'irrémédiable disparition de son passé et démuni de tout espoir en un avenir qui ne pouvait lui apporter qu'une plus lourde solitude.

— Bon appétit! dit le gardien du square.

Ce n'est pas d'appétit que manquait Julien et sa frugalité lui était imposée par des impératifs économiques très précis, outre que la gamelle d'aluminium invitait médiocrement à la gastronomie. Ce midi-là, une préoccupation contribuait à lui brouiller le fumet du jambon pommes à l'huile. En passant le matin devant

Julien, Catherine semblait rayonnante et il s'en inquiétait, imaginant d'obscures menaces en forme de bellâtres. De tous les obstacles épars sur la route qui devait conduire François et Catherine l'un vers l'autre, les mauvaises rencontres étaient les plus redoutables. Julien avait reçu un coup au cœur chaque fois qu'il avait découvert, à l'horizon de la rue du Havre, une fille posée au bras de François et qu'il avait cru reconnaître au passage le visage du plaisir. Par bonheur, ces alertes duraient peu de temps. A de courts intervalles, les filles s'envolaient vers d'autres bras, où Julien les voyait avec soulagement s'accrocher. François manifestait parfois une furtive mélancolie mais Julien ne s'en souciait pas puisque ces peines légères acheminaient son ami, sans qu'il s'en doutât, vers le bonheur. Depuis quelques semaines une certaine Irène s'inscrivait trop souvent dans le champ de vision de Julien, mais, inexplicablement, il ne la redoutait guère.

Par contre, Catherine était trop évidemment disponible et vulnérable pour que Julien ne fût pas troublé par cette joie qu'il avait lue sur son visage et dont l'origine amoureuse lui semblait, hélas, vraisemblable. Le vieil homme ne put se retenir d'évoquer, une fois de plus, la possible faillite de son œuvre. Dans cette intrigue qu'il s'efforçait de nouer, trop de fils lui échappaient et le destin risquait de s'accomplir sans lui. Il maudit les zones noires qui subsistaient dans sa connaissance de la jeune fille. Que savait-il, au fond, de Catherine? L'heure de son train, un prénom, l'ombre d'une âme incertaine et tendre qui affleurait parfois la surface du visage... C'est peu pour deviner une vie. Il n'y avait jamais de garçons à ses côtés.

« Au fond, s'interrogea Julien, qu'est-ce qui te fait croire qu'elle serait heureuse avec François? »

Il chassa de son esprit cette pensée impie. Le destin ne pouvait pas être assez cruel pour lui faire rater la vie des autres après avoir saccagé sa propre existence. Il devait suivre les mouvements de son cœur et croire que François et Catherine étaient faits l'un pour l'autre. Peut-être en y croyant assez fort, assez longtemps, arriverait-il à faire disparaître les onze minutes fatales dans une quatrième dimension qu'il imaginait semblable à ce gouffre où se perdent les rêves éveillés. Mais les deux jeunes gens auraient-ils la chance et la patience d'attendre cette réunion qu'ils ignoraient?

— Attention, dit le gardien de square, pas de papiers gras par terre, il y a des corbeilles pour ça!

En vérité, pas une fois depuis cinq ans qu'il fréquentait l'endroit, Julien ne s'était rendu coupable de ce délit mais le gardien affectait de considérer que la gamelle du méticuleux campeur constituait un danger permanent. Jour après jour il regardait le vieil homme enfouir dans sa mallette les reliefs du déjeuner avec l'espoir secret qu'un emballage oublié justifierait une homélie sur la malpropreté des usagers... « C'est bien français, ça! »... et sur les responsabilités des préposés à la belle ordonnance des jardins publics. Pour n'avoir pas su, par excès de scrupule, procurer cette satisfaction au gardien, Julien n'avait pas fait de progrès dans son amitié.

— N'ayez crainte, monsieur, dit-il, je fais toujours très attention.

— On dit ça, et puis un beau jour on jette une arête de hareng... et puis un enfant la ramasse... et puis il l'avale! Et qui est-ce qui trinque? Le gardien!

L'homme en uniforme s'en fut, le soupçon en bandoulière.

Julien se disposait à reprendre sa méditation lorsqu'il en fut distrait par un événement insolite. François longea la barrière du square. A son côté marchait Irène. Julien vit avec un secret soulagement qu'elle avait les yeux tristes.

CHAPITRE III

Le matin du premier décembre fut marqué par un miracle. Rien n'indiquait pourtant que cette journée dût être exceptionnelle. Elle avait commencé sans imprévu, succédant à une mauvaise nuit. Comme toujours, Julien avait mal dormi. Au fil de longues heures, il s'était retourné sur ce lit qui lui refusait l'évasion du sommeil : un lit-cage. Il connaissait trop bien le mécanisme des nuits blanches, elles se ressemblent toutes : les heures passent, Julien s'interroge sur sa solitude, mais il a beau chercher les raisons de son mal, il n'en trouve aucune. Il n'a trahi ni l'amitié ni l'amour; cependant l'amitié et l'amour se sont détournés de lui; les heures passent, l'aube accroche aux rideaux de la chambre une lumière maussade ou tendre selon l'humeur du jour; Julien qui n'a pas trouvé de réponses aux questions de la nuit soupire et se lève. C'est l'instant de la trêve où la journée qui vient n'a pas encore révélé qu'elle serait tragiquement identique à la précédente; Julien se lève et soupire et s'habille avec soin. Comme disait son père :

— Sous un beau pli de pantalon, qui peut voir si le caleçon est sale?

Ce matin-là, nul intersigne n'était apparu à l'horizon du train de banlieue. Julien s'était laissé absorber par la mécanique de l'horaire qui évite la réflexion et l'initiative.

Huit heures trente et une, Cour de Rome... des centaines de kilos de poussière de charbon planaient au-dessus de Saint-Lazare.

« Vent de nord-ouest », pensa Julien.

Les autres vents en effet emportent le nuage de suie du côté de Clichy ou d'Asnières.

Julien fit la planche et le courant le porta dans la rue du Havre jusqu'au numéro 6 dont il accosta l'angle protecteur avant d'ouvrir sa valise.

— Tentez votre chance!

Huit heures quarante-deux : la grosse dame. Julien entendit :

— ...pourtant, tout ce que je faisais, c'était pour son bien!...

L'énorme personne disparut au sein de la foule.

Huit heures quarante-trois : la petite brunette au bras de son blouson de cuir. Cela faisait trois longues semaines qu'elle n'avait pas changé de chevalier servant. Les autres blousons ne tenaient pas dix jours. Il est vrai que le cuir est un article d'usage.

Huit heures quarante-quatre : François...
C'est alors que l'inconcevable advint. François
arrêta son regard sur le vieil homme, parut le
voir pour la première fois et, comme s'il l'asso-
ciait à une idée confuse, il ralentit son allure.
Julien eut l'impression étrange que François,
en passant devant lui, le jaugeait d'un œil im-
personnel, mais minutieusement. Puis, après
quelques mètres, le jeune homme revint sur
ses pas. Par automatisme, Julien tendit ses
carnets de dixièmes.

— Merci, dit François, je ne crois pas à la
chance. Tout au moins pas sous cette forme-là.
Pour échapper aux remous de la foule, il
se réfugia dans l'angle de l'immeuble tout
près de Julien.

— Voilà, dit-il. J'ai besoin d'un Père Noël
et j'ai pensé que, peut-être, si vous aviez du
temps...

Julien entendit comme dans un rêve la pro-
position saugrenue. Il se trouvait dans le cas
du naufragé qui a longtemps jeûné : le premier
repas qu'il aperçoit après son sauvetage l'émer-
veille et l'inquiète. Après des années de solitude, Julien hésitait au seuil de la chaleur
humaine. Il se prit à craindre ce jeune homme
qui lui parlait.

— ...vous verrez, le travail est très simple et
quant aux conditions...

Julien mesura la fragilité des liens qu'il
avait longuement et tendrement noués. Aussi

longtemps que François n'avait été qu'une silhouette lointaine, Julien avait pu se l'approprier et créer entre eux une intimité imaginaire. Mais voici que le précaire équilibre était rompu et qu'en cessant d'être un mythe familier, François devenait un étranger.

— Naturellement, je ne vous demande pas une réponse immédiate...

Julien s'efforça de considérer l'offre objectivement et d'y répondre en termes positifs mais la brutalité de l'événement le sidérait. Qu'un être humain eût recours à lui relevait du prodige mais que ce quelqu'un fût François dépassait la mesure. Il ne parvenait pas à incorporer cet épisode inimaginable à la trame de sa vie quotidienne.

Autour de lui pourtant les figurants de ses matinées défilaient ponctuellement, fidèles à leur horaire invariable, indiquant ainsi que tout n'était pas changé dans la marche du monde : l'agent de police de huit heures quarante-six... la femme enceinte de huit heures quarante-neuf (elle était enceinte depuis sept ans avec de brefs entractes et Julien l'avait distinguée à ce trait)... l'encaisseur du Comptoir d'Escompte de huit heures cinquante... Dans quelques minutes, Catherine...

L'idée fulgura soudain dans l'esprit du vieil homme. Comment n'y avait-il pas songé plus tôt! A l'instant même où François s'était arrêté devant lui, quelque chose s'était déréglé dans le mécanisme de la fatalité. Le fossé des onze minutes qui séparait Catherine de François avait commencé de se combler insensiblement. Tandis que François parlait, le train de Catherine fonçait vers Saint-Lazare, chaque tour de roue modifiant d'une fraction de seconde une comptabilité qui tendait vers son point d'équilibre, celui où les deux colonnes allaient se confondre en un total commun.

Les yeux fixés sur la grande horloge lumineuse, Julien oublia qu'il était lui-même en cause et qu'à son propre horizon s'annonçait un bienfaisant avatar. Toutes ses facultés d'imagination se concentrèrent sur les chiffres dansants qui régissaient le cours de deux destins.

Huit heures cinquante-deux : le train de Catherine devait entrer en gare.

— Dans le cas où vous accepteriez, dit François, vous seriez engagé pour trois semaines.

Il faut près de deux minutes pour passer le contrôle, au bout du quai, pour traverser la salle des Pas Perdus, descendre les escaliers, longer la Galerie des Marchands et atteindre la Cour de Rome.

— Voici l'adresse de mon bureau, dit François, faites-moi connaître votre réponse avant la fin de la semaine.

Le passage clouté de la rue Saint-Lazare est une mauvaise écluse que les piétons franchissent lentement. Huit heures cinquante-quatre... Catherine devait être prisonnière du feu rouge qui, à quelques dizaines de mètres, bloquait le flot des voyageurs.

— Il faudrait, dit Julien, que vous m'expliquiez... J'ignore si je saurais...

Le feu passa au vert. François tendit la main :

— A bientôt. Nous discuterons des détails, vous verrez, c'est très simple.

Huit heures cinquante-cinq... Julien éprouvait encore au creux de sa paume la chaleur de la poignée de main lorsque parut Catherine. Cette matinée était celle des prodiges. Catherine arborait une chevelure d'un roux ardent, sa bouche était étrangement lourde et ses yeux agrandis; mais Julien ne s'attarda pas à percer ce mystère; il puisa dans l'excès de son trouble l'audace de dire :

— Hâtez-vous, mademoiselle, vous n'avez pas une minute à perdre.

A la frontière du boulevard Haussmann, la haute silhouette de François émergeait de la foule. Avec une expression de surprise, instinctivement Catherine pressa le pas.

— Tentez votre chance, murmura Julien avec tant d'intensité qu'un ecclésiastique touché par la ferveur de l'exhortation, réclama un billet se terminant par 22 dans la série B.

François tourna vers la gauche. Catherine s'en fut à droite. La fatalité avait de justesse repris l'affaire en main.

Sur le trottoir houleux, Julien resta pensif. Pour la première fois, la féroce mécanique de l'existence quotidienne avait manifesté une faiblesse. Pour la première fois, il s'était passé quelque chose.

Bonheur? Malheur? La vie n'abat pas si vite ses cartes.

CHAPITRE IV

Une certaine Mme Benett-Desbordes enseigna les rudiments du métier de Père Noël à Julien. Elle le conduisit à son poste de combat : la Maison du Bonheur, édifiée au dernier étage des Galeries-Lafayette. Les architectes avaient réuni là les plus bouleversantes inventions de la technique. Toutes les peines, tous les soucis de la vie s'y trouvaient scientifiquement résolus par des machines électroménagères ou escamotés dans d'invisibles placards. Pas plus que la poussière, le malheur ne pouvait résister aux ingénieurs de cette merveille.

« Mariez-vous, nous nous chargeons du reste », proclamaient les prospectus.

De fait, tout était prévu, jusqu'aux futures chambres d'enfant qu'un système ingénieux de préfabrication permettait d'ajouter au fur et à mesure des rentrées.

— C'est très simple, dit Mme Benett-Desbordes, les Français ont l'habitude de mettre leurs sabots dans la cheminée; il faut leur montrer qu'ils peuvent mettre un foyer dans leurs sabots.

Julien revêtit une houppelande, une perruque, une barbe d'argent. Mme Benett-Desbordes le planta à la porte de la Maison du Bonheur.

— Ne faites rien, dit-elle, ne dites rien, contentez-vous d'être là.

Comme par un coup de baguette magique, le vieillard translucide devint un symbole rutilant autour duquel s'agglomérèrent des désirs innombrables. Julien avait été, sa vie entière, le spectateur d'une humanité indifférente. Voici qu'en un instant les rôles étaient renversés.

Sous le choc de cette métamorphose, il ne sut d'abord que rester immobile, prisonnier de son nouveau personnage tel un chevalier de son armure, posé au cœur de la foule, au centre de milliers de regards. La brutalité du contraste le paralysa et, au soir de la première journée, lorsqu'il se retrouva seul, il se fit l'effet d'un homme ivre. Insensible au froid de sa chambre, il médita cette découverte que le monde pouvait être autre chose qu'une succession de murailles et de barrières. Une clef insolite venait d'ouvrir la porte qui permettait à Julien d'approcher ses semblables. Il sut que s'offraient à lui des horizons jusqu'alors interdits.

On prend vite l'habitude du bonheur. Au fil des jours, Julien ajusta les plis de sa nouvelle peau, retailla son rôle à ses mesures intimes et fut bientôt Père Noël jusqu'au fond de l'âme. Cinquante ans de pratique du rêve inassouvi le mettaient à même de comprendre les moindres nuances de cette ronde de désirs que la foule dansait autour de lui. Les grands magasins sont des lieux magiques. Chacun peut y trouver de quoi donner une réalité à ses songes quels qu'ils soient et rien n'est moins risible que ces stations muettes de groupes hétéroclites devant un objet qui résume des espoirs longuement caressés. Entre un sac de billes et la Maison du Bonheur, il n'y pas, fondamentalement, de différence d'échelle. En de certaines contrées d'Afrique, on voit des réfrigérateurs électriques à la porte de cases qui n'auront jamais l'électricité.

Cela, Julien Legris le ressentait mieux que quiconque. Les braconniers font les meilleurs gardes-chasse.

En s'arrêtant devant la Maison du Bonheur, la foule devenait silencieuse. Les couples se réunissaient plus étroitement. Julien voyait passer des soleils sur les visages.

« Trouvez un cœur, disaient les slogans, voici la chaumière. »

Les cœurs venaient au rendez-vous, des cœurs mal logés qui s'essoufflaient à battre dans des chambres de bonne. Des hommes et des femmes se tenaient par la main au seuil de l'éden et, par comparaison, mesuraient combien il est malaisé de vivre un grand amour quand il faut faire la cuisine, la vaisselle, la toilette et la lessive dans le lavabo d'un hôtel meublé.

A l'abri de son travesti, le Père Noël écoutait avidement les phrases qu'échangeaient des couples illuminés. C'étaient le plus souvent d'incomplètes et médiocres confidences mais au-delà desquelles Julien savait déchiffrer de plus secrètes pensées, exercé qu'il était, et depuis si longtemps, à reconstituer le plésiosaure avec un fragment de molaire. Cette science est la consolation de ceux qui, volontairement ou non, entretiennent avec les autres des rapports rares ou trop pudiques.

Lorsqu'il voyait, dans les yeux des rêveurs, l'incrédulité faire place à l'espoir, Julien offrait le prospectus consacré aux « Facilités de paiement ».

Tant par mois... tant d'années... tant à la livraison... Ainsi l'Église a-t-elle institué les indulgences qui raccourcissent le chemin du paradis. Vingt traites, vingt années d'indulgences pour se faire pardonner la pauvreté et jouir de la Terre Promise avant de l'avoir méritée.

Et les couples s'en allaient en murmurant des chiffres plus beaux que des poèmes.

Après s'être si longtemps accommodé d'un semblant d'existence, Julien se grisa des multiples saveurs de la double vie. Le matin, il continuait de vendre ses dixièmes; il était ce vieillard couleur de muraille posé sur le trottoir de la rue du Havre et que tous ignoraient. A treize heures, en franchissant le seuil du grand magasin, il devenait le centre du monde. Les mêmes regards qui, le matin, l'avaient ignoré s'attachaient à lui délicieusement et, à leur chaleur, Julien sentait fondre les murs de sa solitude. Par la grâce de ces après-midi, les matinées elles-mêmes s'éclairaient. Désormais, en passant devant Julien, François s'arrêtait l'espace d'un bonjour et d'une phrase dont le vieil homme se faisait à lui-même longuement l'exégèse.

Une seule ombre au tableau, mais très noire : Catherine. D'abord Julien s'inquiéta des irrégularités de sa protégée. Pour des causes inconnues, la jeune fille s'affranchissait de la discipline de l'horaire, bousculant ainsi l'ordonnance des matinées de Saint-Lazare. Julien devait parfois attendre dix ou onze heures avant qu'elle n'apparaisse à l'horizon de la rue du Havre. Ces dérèglements, somme toute anodins, s'accompagnaient de signes autrement graves. Cela commença par l'habillement; puis les cheveux, le maquillage, se mirent à changer sur un rythme sans cesse accéléré. Comme dans ces cauchemars où

44

les personnages se modifient absurdement, Julien voyait se prolonger sur la bouche lourde d'une Catherine brune le sourire qu'il avait vu se former la veille sur la bouche fine d'une Catherine blonde. Ces transformations tenaient de la mauvaise magie.

Après une longue éclipse, Catherine réapparut, mais si différente que Julien hésita à la reconnaître. Les prouesses de la chirurgie esthétique lui étant étrangères, il resta stupide devant le nez refait qui remettait en question la totalité du visage. Le danger dépassait les plus funestes prévisions de Julien; il lui donna la force d'oser se mettre en travers du hasard.

Ce matin-là semblait propice aux entreprises audacieuses. Dans l'air sec de décembre, les gens allaient d'un pas moins accablé. La grosse femme de huit heures quarante-deux paraissait presque alerte. Les vitrines de Noël avec leurs sapins nains et leur neige en coton parlaient de superflu, la poésie des gens à petits moyens.

François s'arrêta devant Julien et lui offrit une cigarette. C'était, entre eux, devenu un rite. Pour ne pas perdre le bénéfice de cet instant d'intimité, Julien affectait d'être un fumeur enragé et, François reparti, écrasait à terre un mégot princier.

— Comment va le rhume? dit Julien.

François fit de la main le geste de bascule qui répond d'ordinaire aux questions de cette sorte. Il n'était visiblement pas enclin au bavardage mais le vieil homme avait décidé que ce matin serait celui de la dernière chance. Catherine, bientôt, allait lui échapper; elle changerait de peau, de vie ou de gare, de cela il était sûr et rien, plus jamais, ne serait possible.

Il se mit à parler par phrases décousues, mettant tout son courage dans ce match contre la montre. Mais onze minutes sont une trop longue distance pour un homme dont le silence a été le seul exercice : on n'apprend pas à parler pour ne rien dire, c'est un don. Lorsque passa l'agent de police de huit heures quarante-six, Julien était déjà à bout de souffle; il se tut complètement avant même qu'apparaisse la femme enceinte de huit heures quarante-neuf.

— Vous savez, dit François, je bavarderais volontiers avec vous, mais l'exactitude est la politesse des salariés.

— Je vous en prie, dit Julien, donnez-moi encore six minutes...

La précision du chiffre et la gravité du ton surprirent François; puis il se souvint de la baroque histoire de la jeune fille que le vieil homme lui destinait malgré les sortilèges d'une coalition de chefs de gare.

— Vous avez de la suite dans les idées, dit-il, et vous croyez au Père Noël! D'ailleurs, j'aurais mauvaise grâce à vous le reprocher.

Malgré la puérilité de la situation, François n'avait pas envie de sourire. Seuls les niais bouffonnent en face des hasards et des coïncidences.

Ce fut une singulière attente, faite de silence et de déséquilibre. François n'apportait à l'aventure qu'une attention impersonnelle. Julien, lui, jouait l'atout majeur, la seule couleur d'une vie grise.

Les minutes passèrent, chacune poussant en avant son lot de personnages. L'encaisseur du Comptoir d'Escompte, avant-coureur de Catherine, franchit la porte de la banque. Julien accepta une autre cigarette. Retranché dans sa douillette, l'ecclésiastique de huit heures cinquante-trois salua la marchande de journaux, sa pénitente. Tous les figurants étaient en place. Un soleil blanc posa sur le décor l'éclairage des scènes capitales. Le temps s'immobilisa au seuil de la seconde qui allait décider de l'accomplissement d'un songe ou de son inanité.

A huit heures cinquante-trois, Julien chercha à situer Catherine dans l'épaisseur de la foule. Il fallait que François la vît s'approcher, qu'il la découvrît d'abord lointaine et non pas surgissant devant lui en un trop bref passage. De cette attente, François fit un jeu auquel participèrent au fil des minutes d'éventuelles Catherines qui retournaient à leur anonymat en frôlant le vieil homme sans recevoir de lui le signe qui les eût confirmées. François en regretta deux ou trois. Plus souvent il les débaptisa volontiers avec un soupir de soulagement. Il ne possédait pas la miniature sur laquelle les princes de jadis étudiaient la fiancée qu'ils ne connaissaient pas. Toutes les jeunes filles pouvaient être Catherine ; l'essence de Catherine, mais pour combien de temps, n'était pas encore bornée par les contours de fer de son existence. Délicieusement virtuelle, elle emplissait la rue du Havre de ses images multiples.

Un garçon les dépassa au pas de course et François vit une expression d'incrédulité se former sur le visage de son compagnon. Pour Julien, ce garçon trotteur — il courait tous les matins depuis trois ans — appartenait à l'univers de huit heures cinquante-six, celui auquel Catherine ne pouvait *plus* appartenir. Absorbé par son exploration de la foule, Julien avait oublié la grande horloge de Saint-Lazare mais ce garçon éternellement pressé le plaçait en face d'une brutale évidence. Il refusa comme trop cruelle l'idée que Catherine — sait-on jamais ! — eût emprunté l'autre trottoir et comme trop lâche l'hypothèse qu'un incident fortuit l'eût retardée. Catherine n'était pas venue. Catherine ne viendrait pas.

François comprit le sens du désarroi qui submergeait le vieil homme. Il en éprouva un peu de pitié mais aussi, redescendant sur terre, il reprit conscience de l'absurdité de l'intrigue que Julien tissait autour de lui.

— Voyez comme sont les femmes, dit-il, elles posent des lapins même quand elles ne savent pas qu'elles ont des rendez-vous !

François s'en fut. Julien Legris resta sur place, inutile sentinelle, plus vieux d'un échec et mâchant un goût de cendre.

La déception eût pesé sur Julien pendant des semaines si son nouvel emploi n'eût absorbé la plus grande part de ses disponibilités sentimentales.

Sa renommée de Père Noël franchit les frontières des Galeries-Lafayette, tant il apportait à sa tâche une manière de génie. L'habit ne fait pas plus le moine que l'argent ne fait le bonheur mais l'un et l'autre ne sont pas superflus. Un moine sans capuce trouve moins facilement le chemin de son âme. Julien avait besoin d'une barbe et d'une houppelande pour réaliser ses aspirations profondes. A l'abri de l'une et l'autre, il fut ce qu'il avait toujours souhaité d'être. Les visiteurs de la Maison du Bonheur étaient accueillis par un Père Noël étonnamment fraternel qui trouvait pour tous le juste sourire et la phrase exacte comme si chacun eût été attendu. Au reste, cette impression n'était pas fausse : depuis longtemps, Julien attendait son prochain.

Il prenait les enfants dans ses bras tandis que les parents s'attardaient dans la cuisine modèle, et c'était pour lui une sensation neuve de voir des sourires répondre à son sourire. Souvent, il reconnaissait les personnages familiers de sa vie antérieure et s'émerveillait de les sentir non plus renfermés sur eux-mêmes, mais confiants, sans défense et sans masque.

Une certaine rencontre frappa Julien particulièrement. Depuis dix ans, il s'efforçait de toucher les dommages de guerre qui lui avaient été alloués à la suite du bombardement de Sillé-sur-Lure. Entre autres pièces, l'administration exigeait la présence au dossier d'un certificat de domicile et d'un extrait du casier judiciaire, l'un et l'autre datant de moins de trois mois. Las! Le dossier mettait beaucoup plus de temps pour parcourir les quinze mètres de couloir qui séparait le bureau « Réception des Demandes » du guichet « Caisse ». Depuis dix ans donc, chaque trimestre, Julien recevait un sec avis l'informant que son certificat de domicile et son casier judiciaire... « étant périmés, nous sommes au regret de devoir retourner le dossier au bureau « Réception des Demandes ». Chaque trimestre, Julien, porteur des deux pièces toutes fraîches, reprenait le chemin du Ministère et la ronde infernale recommençait. En route, d'autres documents, se trouvaient à leur tour frappés de sénilité précoce et Julien devait, par exemple, se procurer un extrait cadastral plus récent, ce qui exigeait le délai nécessaire pour que « l'attestation de sinistre » tombât en désuétude. Nulle raison raisonnable n'autorisait à penser que ce quadrille pût un jour prendre fin.

A chacune de ses démarches, Julien était reçu par le préposé-type : un lugubre personnage jauni sous le harnais et qui faisait payer très cher aux autres ses propres aigreurs. Ce personnage n'avait pas son pareil pour déceler dans un dossier la vétille rédhibitoire qui obligeait à reprendre les choses à zéro. Entre les mains d'un tel spécialiste, Julien parcourut toute la gamme des découragements et des révoltes. Il avait fini par considérer le préposé comme la synthèse de la méchanceté humaine.

Lorsqu'il vit son persécuteur s'avancer vers la Maison du Bonheur, Julien crut à une hallucination. Que pouvait-il y avoir de commun entre une maison, un bonheur et cet être bilieux? Le bourreau ne reconnut pas sa victime. Julien reconnut à peine le préposé dont le visage n'exprimait rien de son habituelle agressivité. Son maintien était modeste. Julien chercha une trace de morgue ou de hargne. Il ne vit que bonhomie et attendrissement. Le tyran visita longuement la Maison du Bonheur. Avant de s'en aller, il demanda un prospectus.

— Ce n'est plus de mon âge; mais tout le monde a le droit de rêver, n'est-ce pas?

La gentillesse du ton et l'humilité du sourire révélèrent à Julien un univers de contradictions. Il découvrit que derrière le masque le plus anguleux se dissimulait un coin de cœur tendre. Son optimisme, dès lors, ne connut plus de bornes. Il réclama comme une faveur de répondre lui-même aux lettres adressées par les enfants au Père Noël. Ce fut le bain de lait des belles de jadis. Chaque nuit, Julien se plongea dans un flot de confiance ingénue. Sa chambre s'emplit de milliers de lettres qui balbutiaient des vœux et résumaient des mirages.

Ce que Julien avait espéré pendant toute une vie d'obscurité s'accomplissait enfin. Il n'avait pas accumulé en vain des trésors. Ses mains ne se tendaient plus dans le vide. Il avait cessé d'être un étranger sur la terre. Le monde lui offrait une somptueuse revanche et son destin était transfiguré.

— Vingt-huit jours à mille francs... vingt-huit mille francs. Nous sommes bien d'accord ? Voici votre bon de caisse. Vous rendrez votre costume au service décoration, dit le chef du personnel.

Julien sortit du bureau. Autour de lui, des nuées d'adolescentes enlevaient les blouses qui faisaient d'elles des vendeuses pour s'empresser de redevenir des jeunes filles, au seuil de cette nuit du 31 décembre.

— Vous rendrez votre costume au service décoration.

Julien n'avait pas compris sur-le-champ ce que signifiait cette phrase. Le chef du personnel avait dû lui expliquer, non sans agacement, qu'un Père Noël, le 2 janvier, serait aussi baroque qu'un lampion le 16 juillet.

Le vieil homme n'avait pas réfléchi à la nature éphémère de sa métamorphose. Il traversa le grand magasin qui se vidait. En passant devant la Maison du Bonheur, il vit des ouvriers, démontant les cloisons, repliant le toit, avec une promptitude de prestidigitateurs. De nouvelles constructions s'apprêtaient : « Voyage au Royaume du Blanc. » Bientôt rien ne subsisterait plus de ce que Julien avait adopté comme base d'une nouvelle existence. Le corps et l'esprit en déroute, il se dirigea machinalement vers la sortie. La rapidité de l'événement n'était pas à sa mesure.

Rue du Havre, dans le creux d'une porte cochère, une femme grondait son enfant qui pleurait. Julien reconnut une de ses visiteuses de la Maison du Bonheur. Un réflexe le poussa vers l'enfant. La mère s'interposa sèche d'abord puis violente.

— Si vous approchez, j'appelle un agent.

Le vieil homme prit conscience de sa pauvre tenue, de son air égaré. Il lut la haine sur le visage de la femme qui s'éloignait, la peur sur celui de l'enfant. Une heure plus tôt, l'enfant eût souri, la mère se fût attendrie.

Julien entrevit l'affreuse signification de son aventure. Avec lucidité, il vit la solitude revenir à sa rencontre, installer en lui son froid et son silence. Il chancela contre la porte cochère et dit à voix haute :

— Ce n'est plus possible.

Des jeunes gens qui passaient crièrent sans méchanceté :

— Eh bien, grand-père... on a pris de l'avance sur le réveillon!

Très posément, Julien se laissa envahir par une idée qu'il n'avait jamais encore considérée en face : l'idée de la mort.

DEUXIÈME PARTIE

FRANÇOIS

Je crois que le vautour est doux à Prométhée.

Jean Ogier de Gombauld

CHAPITRE V

Étant donné que j'ai pris à Garches le train de huit heures treize, je ne peux pas douter qu'il soit huit heures quarante et une minutes à l'instant où je débarque à Saint-Lazare. Les trains de banlieue sont trop bien dressés pour que je puisse conserver là-dessus la moindre incertitude et pourtant, chaque matin en posant le pied sur le pavé de la Cour de Rome, je lève vers la grande horloge de la gare un œil plein de candeur. C'est sans doute ce qu'on appelle « la part de rêve ». Les banlieusards mériteraient qu'une fois dans leur vie le train biquotidien, oubliant qu'il n'est qu'un moyen de transport, leur offre le miracle d'un vrai voyage. On monterait à Pont-Cardinet. En sortant de la gare on lèverait les yeux vers l'horloge de Saint-Lazare, mais ce serait Venise. Neuf heures sonneraient au campanile de Saint-Marc, l'heure exquise...

Le miracle n'est pas pour aujourd'hui. J'ai

tout juste le temps de franchir les cent mètres de la rue du Havre, et Mme Benett-Desbordes aime que ses collaborateurs — son staff — soient exacts. En arrivant en retard, je m'exposerais à un sec « Bonjour, Verne », au lieu de « Comment allez-vous, mon petit François ? », impérieusement amical, que me méritera mon respect de l'horaire.

Il me reste quelques minutes pour songer que je vais quitter Irène. J'aurai de la peine, elle aura mal. Tout cela est peut-être inutile mais je sais que je vais quitter Irène, que cet arrachement nous laissera écorchés et vulnérables mais pour des raisons différentes, c'est tout le problème.

Lorsque je vais ouvrir la porte de mon bureau, je n'aurai plus le temps de penser à Irène. Je travaille à la maquette de « La Maison du Bonheur ».

— Mon petit François, dira Mme Benett-Desbordes, je vous le demande comme un service, ayez du génie.

Dans la publicité, on n'a pas peur des mots.

Irène, mon cœur, comment analyser notre future solitude quand je dois présenter le bonheur en trois pièces tout confort, en trois ans de crédit, le bonheur à la portée de tous les cœurs, de toutes les bourses et de tous les goûts ?

Il y a temps pour tout. Au reste, je ne risque rien en laissant ma mélancolie à la consigne.

Je la retrouverai ce soir, vigilante et fidèle. Elle sait bien qu'entre nous, c'est à la vie et à la mort.

« Tout le plaisir des jours est dans leurs matinées. » Cher Malherbe! Il n'y a pas de rosée ici et les bocages de la décoration publicitaire sont peints au pistolet.

Lorsque Irène m'a dit au revoir hier, après le déjeuner, elle était pleine de larmes retenues qu'elle doit déverser en ce moment sur l'épaule d'une camarade de bureau. Pourtant je ne lui ai rien dit de mes états d'âme. Elle ne se doute donc pas que nous allons nous quitter; mais elle sait que nous ne nous rejoignons plus. Lorsqu'elle dit « François », il y a dans son accent une nuance involontaire de rétrospective.

Au restaurant j'avais commandé des plats compliqués pour avoir le temps de m'expliquer. Hélas! A la dernière bouchée de bananes flambées, j'en étais encore à chercher un exorde satisfaisant. Je savais trop bien que j'étais à la merci de ce « Pourquoi? » qui est le mot clé du vocabulaire féminin.

Pourquoi vais-je quitter Irène? Je ne peux pas trouver l'ombre d'une raison objective. Je suis le même. Elle n'a pas changé. Tout ce qui nous a poussés l'un vers l'autre existe comme au premier jour. Personne n'a trahi. On ne peut même pas dire que l'un de nous se soit trompé. Il serait confortable de croire à un mirage, mais ce serait aussi escamoter le problème. Lorsque j'ai découvert le corps d'Irène, mon plaisir n'était pas illusoire. Le corps d'Irène! Pourquoi, un matin qu'elle allait nue dans la chambre l'ai-je regardée pour la première fois comme un objet étranger? Cette pesanteur ailée, le délié de la silhouette, ce balancement qui m'entraînait dans des tempêtes étaient tels qu'en eux-mêmes je les avais aimés. Voici que je pouvais les contempler nonchalamment et, à travers ce corps, tant d'autres qui avaient perdu leur magie sans raison et sans cause. Je me souviens de m'être dit : « Irène est belle », à l'instant même où je m'éloignais de cette beauté. Je n'étais plus que le spectateur d'Irène. Quelques minutes auparavant, je nous croyais indissociables!

Rien n'est plus sinistre qu'un bon déjeuner entre un homme et une femme qui larguent leurs amarres. Nous avons chipoté d'une dent triste des filets de sole aux sous-entendus, des grives confites dans la gêne; le vin d'Arbois sentait la réticence. La conversation s'est traînée dans de mornes méandres. Les femmes qu'on n'aime plus parlent faux.

— Si tu es libre samedi, m'a dit Irène, nous fêterons tes trente ans chez moi.

Ce « chez moi » m'a ouvert des horizons. J'ai pris conscience que nous n'avions jamais dit « chez nous ». Nous dormions chez elle ou chez moi, selon l'humeur du moment et ce

n'était pas seulement une question de vocabulaire. Au plus chaud de nos réunions, l'un des
deux était de passage. Or, la trentaine me
semble être l'âge où l'on se lasse du camping
sentimental et où l'on souhaite n'avoir qu'une
seule brosse à dents. Le nomadisme est un
caractère de jeunesse.

— Qui aimerais-tu inviter? m'a dit encore
Irène.

Elle a proposé les noms de « mes » amis.
Au fond, nous avons vécu sous le régime de
la séparation de cœurs, notre communauté
étant réduite à d'insuffisants acquêts. C'est le
type même du contrat temporaire.

Et voici que je rêve de durée! A défaut de
couler mon avenir dans le bronze, je souhaite
bâtir en demi-dur. Sous ce rapport, ma génération n'a pas été gâtée. Dans nos corbillons,
qu'y mit-on?

Mme Benett-Desbordes qui a puisé dans
l'art publicitaire le sens et le goût de l'apho-
risme m'a dit un jour :

— Les garçons de votre âge adorent avoir
mauvaise conscience.

Elle aurait dit de la même manière : « Persil
lave plus blanc », tant le slogan est devenu sa
seconde nature. Mais il y a du vrai dans cette
constatation que les hommes de mon âge
cultivent la délectation morose. La sagesse
consisterait à admettre définitivement qu'il
est naïf de vouloir expliquer le pourquoi des

choses. Les savants nous ont fourni un bel exemple avec la logique empirique de leur Principe d'Incertitude. Ils se contentent d'évaluer le comportement statistiquement probable d'un système connu, dans des circonstances données, sans spéculer sur la véritable nature de quoi que ce soit. Voilà la vraie lucidité. Mais les hommes de trente ans s'acharnent à vouloir comprendre comment et pourquoi ils cessent un jour d'aimer leur Irène, leur Dieu ou leur Patrie. C'est un exercice fatigant, périlleux et passablement vain.

Hélas! il est invraisemblable qu'Irène se console en invoquant Heisenberg ou Einstein. On admet plus facilement l'indétermination de l'électron que l'incertitude des élans du cœur.

Mme Benett-Desbordes, elle, n'a pas mauvaise conscience, il faut lui rendre cette justice, et les problèmes du sentiment ne hantent pas ses nuits. Le fait d'avoir tué sous elle — ou dessus — trois maris fortunés lui confère une expérience dont son personnel profite abondamment. Il y a un maître à penser dans chaque femme mûre et nous sommes traités par notre patronne comme des lecteurs du *Courrier du Cœur*. Chaque membre du « staff » reçoit, bon an mal an, son poids de conseils et de recettes de vie.

Il faut avouer que l'état-major « artistique » de l'entreprise qui nous assure notre pain quotidien ferait la joie du philosophe. Nous sommes dix à œuvrer sous la direction de Mme Benett-Desbordes, pour l'édification des clientes des grands magasins. Notre métier consiste à enrichir des ressources de l'art les étalages et les rayons. Hier les calicots — au double sens du mot — suffisaient à cette office; mais aujourd'hui la cliente exige que son choix soit sollicité par de multiples artifices. La robe de printemps ne tentera l'acheteuse que si le printemps est présenté avec la robe. On ne saurait lancer sur le marché une nouvelle marque de tampon périodique si l'objet n'est assorti d'un emballage évoquant le ski nautique ou *Les Nuits* de Musset. Ainsi s'explique notre présence aux côtés de Mme Benett-Desbordes. On nous appelle « décorateurs ». Nous prétendons être des peintres et s'il suffisait pour cela d'en voir de toutes les couleurs, nous serions les plus grands peintres de notre génération, mais dans l'incapacité où nous sommes de vivre de nos toiles, nous consacrons la majeure partie de nos vies au contre-plaqué, à la matière plastique, à la percale glacée.

Irène m'a souvent reproché ce métier, qui, dit-elle, me dégrade. Elle se fût mieux accommodée d'une austérité portant la promesse de chefs-d'œuvre. Moi aussi, j'ai souvent balancé entre les chèques de la publicité et la frugalité exaltante de l'art. Est-ce manque de caractère ou absence de foi? Je veux réussir ma vie, fût-ce aux dépens d'une œuvre hypothétique, et la misère ne me donne pas de talent.

— Tu es de la race des gens qui veulent manger leur pain blanc le premier, dit volontiers Irène.

Ce reproche me semble d'une belle inconséquence, car elle fut mon pain blanc.

Il est bien vrai que j'estime paradoxal de s'user trop longtemps les dents sur du pain noir, dans l'espoir de mieux apprécier la nougatine avec des chicots fatigués. Je n'ai jamais oublié la mort de tante Jeanne. C'est le privilège de certains souvenirs sans importance de s'incruster comme des bernacles. Je faisais partie du petit groupe penché sur le lit blanc, dans cette chambre encaustiquée de silence, miroitante d'ordre, de respectabilité et qui allait être le théâtre d'un événement incongru et brutal.

Tante Jeanne s'efforçait : « ... Je voudrais... je voudrais... »

— Allons, allons..., disait le petit groupe, il ne faut pas vous fatiguer. Allons... allons...

La pièce sentait la propreté comme la rose sent la rose. A peine s'y mêlait-il une fugace odeur de médecine, de très légers relents de goménol. Les meubles se miraient dans le lac du plancher. Le plancher se reflétait dans les meubles. Ah! les parquets de tante Jeanne! Ils semblaient nés cirés, taillés dans un bois inconnu, un arbre secret poussé dans l'arrière-cour d'une ferme hollandaise. A les voir, une cireuse électrique se fût sans doute fait sauter les plombs. Cela dépassait la technique. On y devinait le produit fragile de trois générations de bonnes, de soins attentifs et épuisants, de patins de feutre obligatoires. C'était un miracle centenaire à la merci d'une semelle humide. Avec la somme de travail consacrée à ces parquets, on eût bâti une cathédrale.

— Il faut être raisonnable, disait le petit groupe, le docteur recommande...

Le docteur n'avait rien recommandé mais la coutume veut qu'on empoisonne les dernières heures des moribonds.

— Nous avons fait ce que nous avons pu, jusqu'au bout! larmoient les familles qui ont réussi à glisser une ultime goutte d'huile de ricin dans la gorge de l'agonisant.

Tante Jeanne poursuivait malaisément une pensée qui se dérobait. Enfin elle la saisit et, vite, lui donna une forme solide :

— Je voudrais une poire.

Pour saugrenue que fût la demande, quelque chose dans le ton ressuscitait l'autorité maternelle. Geneviève, la fille, tendit un compotier. Tante Jeanne écarta deux ou trois poires tavelées et choisit un beau fruit à peine mûr qu'elle contempla longuement avec un amer sourire. Elle n'eût pas le temps de le mordre. Elle mourut sans même pousser un dernier soupir, comme font les bengalis.

On parle encore dans la famille de cet incident que nul n'a compris. Moi, je sais. Pendant cinquante années, tante Jeanne a mangé des poires trop mûres... « avant qu'elles ne se gâtent tout à fait ». Et tandis qu'elle s'imposait de choisir le fruit douteux, de belles poires saines pourrissaient et le retard n'était jamais comblé. A l'article de la mort, tante Jeanne avait compris que sa vie s'était passée à manger des poires blettes et du pain rassis pour n'avoir pas su, à vingt ans, jeter à la poubelle un fruit et un croûton.

Je ne veux pas attendre que ma vie soit trop mûre et mes sens trop rassis. La rançon de cette impatience s'appelle Benett-Desbordes. Cette femme se nourrit d'idées et de talent et son appétit fait frémir. Admirable incarnation de son temps, elle sait tirer parti des incertitudes intimes de ses collaborateurs. Sous ce rapport, je suis un sujet de choix, d'où la manière de sympathie que parfois elle me concède. Lorsqu'elle devine que je suis au plus creux de mes interrogations intérieures — et ces femmes-là devinent infailliblement — elle m'impose un travail à base d'évidences. Je la soupçonne de m'avoir confié la maquette de « la Maison du Bonheur » parce qu'elle avait pressenti mes indécisions cardiaques. Mme Benett-Desbordes fait de la psychologie appliquée. Ses collaborateurs s'interrogent-ils sur le sens de la vie? Elle leur enjoint de répondre sur l'heure aux questions des autres, d'imposer par la persuasion un choix qu'eux-mêmes ne sauraient faire.

— Mon petit François, je veux qu'en voyant vos dessins, quatre millions de femmes deviennent incapables de rêver à autre chose.

Sous-entendu : deviennent incapables d'imaginer que le « foyer » puisse être autre chose que ce que nous leur proposons.

Qui me donnera une définition du foyer et la manière de s'en servir en échange de chatoyantes théories sur l'agencement de la salle de séjour et le choix des tissus d'ameublement? Quand trouverai-je la femme unique pour la mettre dans mes lits escamotables? J'envie tous ceux qui vont croire, par ma faute, que la maison du bonheur est une affaire de préfabrication.

Je n'ai même pas l'avantage de me prévaloir d'une situation singulière. Les dix décorateurs de l'agence gravitent comme moi autour de cet âge ambigu de la trentaine, à cheval entre la jeunesse et la maturité, l'âge des bilans, des récapitulations, des anthologies et des testaments. J'imagine qu'ils se posent comme moi un joli nombre de points d'interrogation mais leur travail, comme le mien, consiste précisément à affirmer. Au vrai, on n'engage pas son âme en suggérant le choix d'un réfrigérateur. Il reste que l'obligation de convaincre est un exercice épuisant. La somme de talent dépensé en dix ans pour vanter par l'image l'excellence de marchandises hétéroclites suffirait, transposée en « peinture pure », à alimenter une belle carrière dans les arts plastiques. C'est l'éternelle histoire des parquets de tante Jeanne.

Il est huit heures quarante-cinq; j'ai trente ans, je n'aime plus Irène et il faut que je trouve un Père Noël pour présenter la Maison du Bonheur aux Galeries-Lafayette.

Rien de tout cela n'est très exaltant.

CHAPITRE VI

Dans l'enthousiasme de ma première année aux « Beaux-Arts », j'avais commencé à illustrer l'*Apocalypse* selon saint Jean. Je sais aujourd'hui qu'il m'eût suffi, pour produire un chef-d'œuvre, de photographier les rayons d'un grand magasin aux approches de Noël. C'est la première fois que je me risque dans un de ces lieux aux heures ouvrables. Mme Benett-Desbordes m'a dépêché pour surveiller le comportement du Père Noël que je lui ai trouvé. Je n'aurais pas voulu manquer le spectacle. J'offrirai quelques roses à ma directrice en témoignage de gratitude en espérant qu'elle s'enfoncera entre la chair et l'ongle (qu'elle a joli) une épine prometteuse d'un méchant panaris. Le bénéfice sera double.

Jusqu'à ce jour, je n'avais franchi le seuil d'un grand magasin qu'après la sortie de la dernière cliente. J'en gardais la vision d'une gigantesque nécropole, d'une sorte de musée dément dans lequel chaque objet est multiplié par cent et sur quoi plane un silence de caverne. Le bruit d'un seul pas s'y répercute sans fin, franchit à saute-mouton cinquante lits jumeaux, parcourt des forêts de buffets identiques et, après un long voyage dans des labyrinthes déserts, s'en vient mourir auprès de mannequins drapés de suaires, émergeant de ténèbres que blanchit à peine un éclairage parcimonieux. Moi, obscur desservant de ce temple où la civilisation de mon temps rassemble ses merveilles, j'en ornais paisiblement l'une des chapelles qu'on nomme ici vitrine.

Mais aujourd'hui, je vois enfin les fidèles dans leur cathédrale et le tableau est fabuleux. Cela tient de la ruée vers l'or, de la bataille de Poitiers, de l'incendie du Bazar de la Charité, de la révolte des Boxers, de la prise de la smalah d'Abd-el-Kader, de la pluie de sauterelles dans le Sud-Oranais, du passage de la Berezina, de la charge de la Brigade Légère, d'un cap Horn enfin, où se rencontrent et s'affrontent deux océans : celui des tentations offertes, celui des désirs exacerbés.

Voilà donc à qui nous cédons notre place dans les autobus! Retranchées dans leurs boxes, comme les canonniers de Koutouzoff dans la redoute de Borodino, des vendeuses hagardes subissent les assauts toujours renouvelés d'une horde de tricoteuses. Ces femmes qu'on dirait possédées du haut mal s'arrachent mutuellement les marchandises qu'elles convoitent, déchirent les coupons fragiles, abattent leurs mains de fer sur les gants de velours, flétrissent les lingeries pour en éprouver la souplesse. Des milliers de doigts crochus se tendent et se crispent. Sur les bouches dont certaines sont telles qu'on aimerait s'y poser, s'inscrivent la haine et la férocité. Les chefs de rayon, hautains et dépeignés, s'efforcent de contenir la meute. J'ai vu des clientes meurtrir de la pointe du parapluie les parties sexuelles de ces malheureux pour se frayer un chemin vers un comptoir assiégé. Dans ménagère, il y a mégère. Sur tout cela plane une rumeur aiguë qui fait peur et que couvrent mal des musiques langoureuses vaporisées par d'invisibles haut-parleurs.

Ces femmes, dans la vie courante, ne sont plus que faiblesse et que fragilité; un souffle les alanguit, une vapeur les couche. Mais je sais désormais quelle sorte de noyau se cache sous la chair tendre. Les hommes font la guerre pour se calmer les nerfs; les femmes font les courses. Je ne suis pas sûr que celles-ci ne comportent pas autant de férocité que celles-là. En tout cas les courses récupèrent en fréquence ce qui leur manque en brutalité.

J'avais peur de retrouver mon Père Noël en lambeaux. Eh bien, non! C'est sans doute ce qu'on appelle la grâce d'état : la foule l'entoure à distance respectueuse, il distribue ses prospectus à un cercle de marmousets ébahis. Il est paisible au milieu du raz de marée et curieusement naturel dans sa défroque. Sa houppelande — d'un rouge révoltant — l'habille bien. En complet veston, il semblait déguisé. Je n'ai jamais vu fausse barbe plus fausse et plus vraisemblable. Le soir venu, lorsqu'il se déshabille de ses poils, je suis sûr que son absence de barbe doit paraître postiche. En me voyant dans la foule il m'a dédié un signe d'intelligence presque tendre. Ce bonhomme m'intrigue. Je l'ai extrait de la rue du Havre où il vend piteusement des dixièmes de la Loterie Nationale. Il est entré dans sa peau de Père Noël avec une aisance de bernard-l'ermite. Les gens qui se déguisent facilement me troublent dans la mesure où je reconnais chez eux quelques-uns de mes propres symptômes.

A ce que j'ai cru comprendre, ce Julien Legris ne mène pas une vie très douillette. Il a une tête de survivant. Le peu qu'il m'a dit m'a fait entrevoir une belle profondeur de solitude. Ces vieillards qu'on voit acheter le sucre au détail dans les épiceries de quartier donnent envie de mourir jeune.

Lorsqu'il est venu dans mon bureau pour signer son contrat, nous avons failli fraterniser. J'ai vu le danger à temps; nous aurions vite ressemblé à ces dames qui échangent pendant des heures d'abominables confidences sur leurs petites misères intestinales. J'ai fermé la bouche de mon homme avec sa barbe de Père Noël à l'instant où je me suis rendu compte que nous allions commencer à délabyrinther nos états d'âme. Je n'aime pas la compagnie des vieilles gens de cette sorte. Ils me donnent mauvaise conscience; à côté de leur vraie misère j'ai trop bonne mine et le sentiment de jouer le malade imaginaire : mes maux se réduisent à des mots.

— Tirez la langue... respirez fort... de quoi souffrez-vous?

— Ma foi, docteur, c'est assez vague.

— Le cœur?

— Non.

— La tête?

— A peine.

— Des ennuis d'argent?

— Moins que beaucoup d'autres.

— État général?

— Satisfaisant.

— Angoisses nocturnes?

— Je dors comme un enfant.

— Nausées matinales?

— Non.

— Impuissance sexuelle?

— Non plus, mais nous approchons. Voyez-vous, docteur, cela me soulagerait d'avoir une maladie de cœur mais mon cœur bat trop peu pour se fatiguer. J'aimerais les nausées qui me feraient vomir et les révoltes qui me donneraient la fièvre. Hélas! Je ne souffre que d'un manque d'appétit. Quant à l'impuissance, je la préférerais, je crois, à l'absence de désir.

— Ressentez-vous des lourdeurs?

— Au contraire : je glisse à la surface, à la peau de mon temps. Je suis excessivement léger, docteur.

— Les nerfs?

— ...d'acier! De ce côté, je me plains d'un manque de vulnérabilité.

— Vos analyses sont inquiétantes. On ne trouve trace nulle part du moindre microbe. Autrement dit, vous êtes stérile.

— Voilà, docteur. J'ai l'impression de vivre dans les limbes.

— C'est un cas fréquent et un signe de l'époque : abus des antibiotiques. Ce qu'il faut, monsieur, c'est vous réensemencer. Quelques bons virus et vous voilà sauvé.

— Votre ordonnance, docteur?

— Notre arsenal thérapeutique est réduit. Essayer d'aller à pied vers Chartres à travers les champs de blé en braillant des strophes de Péguy. Avec un peu de chance, au bout de quelque temps, il vous poussera des boutons sur la figure; vous serez rejoint et accompagné par des boy-scouts qui chanteront *Trois jambons de Mayence*. Le soir, vous parlerez de Jeanne d'Arc, de la France, de l'Amour et du

Devoir. Un matin, vous vous aviserez que tous vos mots commencent par des majuscules. Ce sera le début de la convalescence.

— Mais, docteur, Péguy...

— Eh oui, je sais! Le sulfate de soude non plus n'a pas bon goût. Pourtant, dans certains cas, il réussit mieux que la psychanalyse.

Voilà ce que dirait sans doute le médecin que je n'irai pas consulter. S'il était fûté, il me proposerait tout un choix de remèdes : m'inscrire au Parti communiste, entreprendre une grande œuvre, m'engager dans les parachutistes, prendre la robe blanche des Missions africaines de Lyon, vivre un grand amour...

Sur le chapitre de l'amour, mon Père Noël a des idées. Il m'a tenu un extravagant discours dont il semble ressortir qu'une jeune personne passe chaque matin à huit heures cinquante-cinq dans la rue du Havre. En termes allusifs, mon bonhomme m'a fait entendre que la susdite ne me serait probablement pas indifférente. Ce travail d'entremetteur n'est pas dans la ligne du personnage. Au fait, quelle est la ligne du personnage? Pourquoi me regarde-t-il de cette façon? Je ne suis pas spécialement observateur, mais je sais reconnaître l'amitié au premier coup d'œil. Nous n'avons échangé que peu de phrases et des plus banales; pourtant il y a entre nous des embryons de cette complicité qu'on acquiert lentement, par de longues confidences.

Après tout, je veux bien qu'il m'aime, ce vieil homme; mais cela ne l'autorise pas à me proposer des idylles préfabriquées avec des fillettes dont il ignore, semble-t-il, les tenants et les aboutissants. Le moment est mal choisi. Je suis en état d'hibernation sentimentale et toute fatigue du cœur pourrait m'être funeste. Je suis à peine guéri d'Irène et je dois me garder des rechutes.

Irène! C'est faire un beau cadeau à un homme que de lui épargner le linge sale de la rupture. Mes raisons et mes excuses me sont restées dans la gorge. On ne m'a rien demandé. Je redoutais les déchirements, les blessures; mais ce fut une séparation plus qu'un arrachement, signe que nous n'étions qu'agglutinés et non pas unis.

— Mon pauvre François, tu fais une bêtise; nous aurions été heureux.

Elle m'a dit cette phrase il y a trois semaines? quatre semaines?... Ces choses-là ne se comptent pas en heures, minutes, ni secondes. C'est d'une autre mathématique qu'usent les amants et les prisonniers. Le système métrique ne rend pas compte de toutes les dimensions. Aux portes des prisons, il y a toujours un bistrot, surmonté le plus souvent d'une enseigne : « On est mieux ici qu'en face. » Pour les gardiens ce bistrot est à trente mètres. Pour les prisonniers, il est à trente mètres et un ans, deux, cinq ou dix ans, selon le cas. Irène m'a dit cette phrase il y a trois semaines et une séparation.

Trois semaines... quatre semaines? et déjà des zones floues apparaissent sur l'image d'Irène. Oh! presque rien... toutes ses lignes, tous ses dessins sont encore très nets et le mouvement de ses cheveux et la couleur de son regard. Mais certaines nuances commencent à m'échapper. Déjà je dois m'efforcer pour revoir tel geste secret, telle expression fugitive. Je connais l'évolution de cette maladie mortelle du souvenir dont les épisodes sont semblables à ceux de la paralysie des corps. La mémoire peu à peu refuse la vie à l'image qui tend à s'immobiliser. Lorsqu'elle est figée en une ultime pose, encore précise mais exsangue, les vers commencent leur travail. Ils opèrent au hasard. On ne peut pas prévoir à quoi ils s'attaqueront de préférence : le grain de la peau, la courbe de l'oreille, le relief de la bouche, le son de la voix... Ils progressent sans méthode mais efficacement. La rapidité de décomposition est variable mais son terme certain. Alors l'image n'est plus qu'un squelette qu'on range négligemment dans le bric-à-brac des souvenirs vagues. Ainsi mourra Irène.

— ...tu fais une bêtise, nous aurions été heureux.

Elle n'en doutait pas. Elle ne doutait de rien. A toutes les péripéties de la vie, elle pouvait opposer une certitude massive et placide. Ce climat convenait mal à un danseur de corde. Lorsque les marins débarquent sur la terre immobile, souvent leur cœur chavire.

La femme que j'aimerai n'aurai pas achevé sa création du monde. Elle ne sera pas clouée au sol par les brodequins de plomb de la certitude. Elle hésitera souvent au bord des attitudes à prendre, des gestes à faire. Elle ne verra pas le monde en blanc et noir. Elle sera perméable et vulnérable aussi. Elle connaîtra le goût des solitudes où l'on s'égare. Nous avancerons côte à côte comme deux funambules sur un fil incertain et nous ne trouverons notre équilibre qu'en nous donnant la main.

Et patati et patata... Voie sans issue, chemin barré! La « Romance à l'Inconnue » est un périlleux exercice.

Les trottoirs du boulevard Haussmann, du côté des grands magasins, ploient sous le poids des passants. Devant les vitrines, on s'écrase. Un peu en arrière, des gosses graves et patients attendent que leurs pères aient fini de rêver devant les trains électriques.

Dans cette foule qui n'est que regards, j'ai le sentiment épuisant de n'être pas d'ici. Je sais à présent ce qui se cachait derrière les visages timides des soldats allemands d'hier. Moi aussi, j'ai l'impression d'être en occupation et que ce soit dans mon propre pays n'arrange rien. Je déambule entre deux murs et mes voisins ne sont pas mes semblables. Comme les feldgrau des dimanches de guerre, je brûle de me lier avec un inconnu, de lui montrer les photographies de ma maison, de ma femme, de mon petit dernier et de lui affirmer que tous les hommes sont frères. Hélas! l'inconnu me soupçonnerait d'avoir fusillé des otages. D'ailleurs, je n'ai pas de photos à montrer.

Je vais rentrer chez moi et travailler. Mᵐᵉ Benett-Desbordes attend un projet d'affiche pour un nouveau savon qui, cela va de soi, pulvérise tous les records de mousse, d'onctuosité et donne à la chair des vieillards le velouté de l'adolescence. Le sujet est aride! On a tout dit du savon. Pourtant, je dois faire vite. Les miniaturistes chinois employaient vingt ans à peindre une branche de cerisier. Mᵐᵉ Benett-Desbordes n'aimerait pas cela. La vie d'un savon est trop brève pour attendre l'inspiration de l'artiste.

Je vais rentrer chez moi puisqu'il n'y a plus de « chez Irène ». Ma logeuse se réjouit de ma nouvelle régularité à retrouver le chemin du bercail. Je découchais trop souvent à son gré. Mon métier aidant, elle m'imagine volontiers entouré de modèles nus qui prennent des poses lascives en fredonnant *Les Moines de Saint-Bernardin*. L'idée qu'elle se fait du vice ne va pas beaucoup plus loin mais elle estime que ces désordres ne sont plus de mon âge.

Je n'ai qu'à suivre le courant : c'est l'heure où les banlieusards regagnent leurs provinces; tous les mouvements du quartier convergent vers la gare. Les rues portent des noms d'escales : Londres, Constantinople, Amsterdam, Budapest, Athènes... C'est de la publicité! Les trains, eux, vont au Pecq. Un seul file jusqu'au Havre et de là, au bout du monde. Ce n'est pas celui-là que je prends.

CHAPITRE VII

Il faut se rendre à l'évidence : les amours d'enfance et les copains meurent de vieillesse à vingt ans. Celles qui se survivent deviennent des dames; ceux qui se prolongent se changent en amis. Rien de commun! Les copains sont d'abord des complices tandis qu'il y a du juge, parfois du procureur, dans l'ami.

Quand je dis : « Je suis au bistrot avec des copains », cela signifie : « Je suis au café avec des amis. » Car les bistrots aussi se transforment avec les années. Ils cessent d'être des oasis pour devenir des endroits.

Donc je suis avec des amis qui ont tous été mes copains dans un café qui fut notre bistrot. Demain, c'est Noël : un bon jour pour déposer son bilan.

Il y a beaucoup de tendresse entre nous, de la confiance en quantité suffisante et un trait d'estime : des sentiments avouables, en somme. Bien entendu, rien ne subsiste des aveuglements, des violences, des exigences solennelles qui nous liaient jadis. En dix ans nous avons eu le temps de mesurer les limites de nos emportements mutuels et la place que chacun tenait dans la vie des autres. Nous ne passons plus des nuits entières à refaire le monde en buvant des alcools déplorables. Nous avons franchi les échelons de l'appellation contrôlée. Nous buvons meilleur et beaucoup moins. Nos nuits blanches et nos jours noirs, nous les avons échangés contre des nuits noires et des journées blanches. On y perd, car ce dernier mélange donne du gris; l'autre, qui se compose pourtant des mêmes couleurs, fait plutôt voir la vie en rose. Comprenne qui pourra!

La conversation roule sur les grands problèmes sans, hélas! les écraser. Au contraire, plus on en parle, plus ils se gonflent. Nous nous donnons les gants de les survoler avec désinvolture mais le vertige, sourdement, nous prend devant ce vide qui nous isole. Jusqu'à vingt-cinq ans il est relativement confortable de se vautrer dans le mal du siècle. Au-delà, la mélancolie perd son charme, devient de l'hypocondrie. S'ils n'opèrent pas à temps leur reconversion, les adolescents romantiques évoluent vers le monsieur morose. Nous en sommes à ce virage dangereux et nos réunions s'en ressentent. Les quatre mousquetaires que nous fûmes ne parviennent pas à jouer « Dix ans après ».

Chacun s'efforce d'avoir une opinion sur le spectacle dont nous avons été hier les témoins. Dans la soirée, un millier de jeunes gens ont mis à sac les Champs-Élysées. Ce n'est pas la première fois qu'un monôme dégénère en bagarre, mais ici rien de semblable. D'évidence, ceux-là ne s'amusaient pas. Les dents serrées, le visage morne, ils brisaient les réverbères et les vitres des cafés sans passion, avec une fureur triste.

« Des petits bourgeois qui s'ennuient », dit Jean. Jean Jubineau est communiste. Pour lui, les problèmes sont rarement ambigus et la bêche ou la pioche constituent les meilleurs remèdes contre le vague à l'âme. Au vrai, il est probable que les mineurs d'Hénin-Liétard ne disposent pas de vastes loisirs pour se torturer le subconscient. Mais nos petits vandales d'hier soir ne faisaient pas une manifestation de classe. Il y avait de tout parmi eux, et un seul commun dénominateur, l'âge : moins de vingt ans. Vêtus de ce blouson de cuir dont Marlon Brando et James Dean ont imposé la mode, ces forcenés ont fait en un quart d'heure plus de dégâts qu'un cortège de métallurgistes. Et tout cela dans le vide, sans passion, méthodiquement.

Lorsque les C.R.S. sont intervenus, les choses ont pris méchante tournure. Les jeunes gens qui saccageaient en silence se sont regroupés. De leur masse un cri est monté, scandé comme un mot d'ordre :

— Rien... Rien... Rien...

Puis ils sont partis à l'assaut du service d'ordre avec une violence démente.

Les journaux d'aujourd'hui commentent abondamment ces incidents : « Cinquante blessés graves... dégâts considérables... Graines de violence... Les rebelles sans cause... L'angoisse d'une jeunesse désaxée... » Le ton est affligé, papelard et stupéfait.

— L'angoissse, dit Pierre, l'angoisse! Tu parles! Ce sont des petits merdeux, ils font Kafka partout.

Cher Pierre, qui ne peut résister à un calembour et qui camoufle sous un cynisme ingénu un désenchantement que je connais bien.

François, Pierre, Vincent et Jean : les quatre points cardinaux, disions-nous jadis! Aujourd'hui, nous avons perdu la boussole et la scène des Champs-Élysées nous fait tourner en rond. Ces « vandales » sont nos petits frères. Comme nous ils sont bien nourris, bien vêtus et leur révolte est sans plus d'objet que nos plaintes. Rien ne nous empêche d'être heureux, que nous. A quoi rime ce rendez-vous de solitaires en mal de combativité? Quels sont les regrets qu'ils attaquent en brisant les réverbères?

Pierre et Jean polémiquent sur la valeur de l'acte gratuit, sur les champs d'action valables et l'instinct d'autodestruction. Je les écoute. Vincent se tait. Les discussions de ce genre ne le tentent pas, non plus que les idées générales. Il a toujours suivi des drapeaux plutôt que des idées et c'est son drame. Dans notre quatuor, Vincent représente l'engagement fait homme, l'antithèse de Pierre. Sa prime jeunesse s'est enthousiasmée pour les excès de l'Action française. En 1939, il s'est engagé. Depuis, il continue. La défaite de 40 l'a blessé personnellement en le contraignant à descendre l'Armée française du piédestal où il la plaçait. Il a emboîté le pas au Maréchal. Tout l'y poussait : les feuilles de chêne, le folklore des feux de camp, la patrie et le reste. Puis il s'est lassé d'avaler quotidiennement un grand bol d'humiliation au petit déjeuner. A corps perdu comme il fait toute chose, il s'est lancé dans la Résistance. De Gaulle a été son grand homme jusqu'à la Libération exclusivement, où Vincent a mal supporté que l'épopée devienne bureaucratique. Jean Jubineau lui a ouvert les portes du marxisme. C'était l'époque où le patriotisme se portait rouge. Vincent a fait l'effort de remplacer de Gaulle par Staline dans son Panthéon personnel. Il a été un communiste exemplaire. Nous autres, ses amis, savions ce qu'il pouvait lui en coûter mais aussi qu'il n'était pas le militant des demi-mesures. La déstalinisation l'a déchiré plus cruellement que tout le reste en l'obligeant à brûler ce qu'il avait adoré et à remettre en question sa propre conscience. Depuis il erre à la recherche d'un héros, d'un maître ou d'un guide.

François, Vincent, Pierre, Jean..., chou, genou, caillou, joujou... Nous sommes mal à l'aise au pluriel, voilà le problème, et les excités des Champs-Élysées souffrent apparemment du même mal. Aussitôt que nous sommes en groupe, nous prenons l'X, le signe de l'inconnu. En cherchant bien, on trouverait des centaines de milliers de poux dans notre genre. Lorsque les exceptions commencent à déborder la règle, la grammaire tout entière file un mauvais coton.

— Ce qui m'a fait peur, dit Vincent, c'est de les entendre crier : rien... rien... rien...

— Qu'est-ce que tu veux, dit Pierre, on n'a plus le goût de brailler : « Montjoie-Saint-Denis », c'est passé de mode. Alors quoi ? Vive Machin ou à bas Chose ? En fin de compte ils sont plutôt logiques ces petits, ils annoncent leurs vraies couleurs.

— Quelle est la couleur de rien ? dit Jean.

— Demande à notre Picasso, c'est son métier, dit Pierre en me désignant.

— La couleur de nos jours, la couleur de l'attente.

J'ai lancé cela sans réfléchir, très vite, trop vite. Par accord tacite, la gravité est exclue de nos traditions. La peur du ridicule nous en tient éloignés. Ma petite phrase bête fait planer le silence sur notre table.

Voilà quelques mois que cette idée me tracasse. Tous nous attendons et, qui pis est, nous attendons *de*... De notre époque, de notre métier, de nos femmes, de notre pays. Nous attendons que les unes et les autres nous donnent quelque chose : de la chaleur, des perspectives, des satisfactions, des raisons, des preuves, que sais-je! Nous avons des mentalités de créanciers. Nous sommes persuadés que nous ne recevons pas notre dû. Il suffirait peut-être de donner pour recevoir au lieu de se consumer dans l'attente,

— Qu'est-ce qu'on attend, dit Pierre, pour boire le petit dernier?

Demain c'est Noël. Chacun évite de consulter les autres sur leur emploi du temps. Vincent s'abriterait derrière sa famille. Pierre mettrait en avant une certaine Nicole dont il nous parle depuis quelque temps avec un détachement appliqué. Du moins échapperons-nous à la tristesse du réveillon de joyeux drilles avec champagne et gaieté obligatoires.

Je pense à Irène, si lointaine. Irène à qui j'ai si peu donné, dont j'ai tant attendu. Nous sommes des usuriers qui s'ignorent. Nous prêtons à un taux exorbitant.

Je pense aussi à cette jeune fille blonde et matinale dont mon Père Noël particulier m'a promis la rencontre. Histoire de fou? Histoire de sage?

— A propos, dis-je, je vais quitter mon bureau de publicité.

Ici encore j'ai parlé très vite, en même temps que je prenais la décision. Formulée à haute voix, elle me semble soudain lumineuse, évidente.

— Trahison! dit Pierre... que vont devenir les petites ouvrières de chez nous? Qui va les aider à enjoliver leur existence? Qui va leur montrer comment dissimuler un vilain compteur électrique derrière un joli petit Renoir? Qui va leur dire comment elles peuvent laver elles-mêmes leur vison?

— Sérieusement, dit Jean, que vas-tu faire?

Au vrai, je sais surtout ce que je ne ferai plus, mais avec certitude. Je n'ai plus une minute à perdre. La scène des Champs-Élysées m'a fait entrevoir quelques traits de nos propres caricatures.

— Quelles sont les raisons profondes de ce beau mouvement de menton? dit Pierre.

Je laisse Jules Renard répondre à ma place : « Pour vomir son temps, il faudrait d'abord l'avoir mangé. »

— Bon appétit, dit Pierre, mais attention, c'est une expérience dangereuse. Il faut être sûr de son estomac.

Derrière la raillerie formelle transparaît la bonne vieille sollicitude de jadis. Il me semble que je viens de retrouver mes amis attentifs à aider celui des leurs qui va peut-être commettre une sottise.

— Fais attention, dit encore Pierre, je ne

te donne pas huit jours pour nous entretenir de la vie, de la peinture et de l'amour. Car, bien entendu, tu vas peindre et tu vas aimer.

— Je vais essayer de choisir au lieu de toujours attendre.

Un silence. Ils me regardent comme si j'annonçais mon départ pour l'Amazonie. C'est peut-être un peu cela. Jean m'offre un sourire et une cigarette. Sans doute est-il celui qui me comprend le mieux. Vincent récapitule ses choix successifs et les déceptions qui l'ont conduit à rejoindre pratiquement le scepticisme de Pierre.

— Moi, dit celui-ci, il y a un choix que je n'ai jamais pu faire et qui me masque tous les autres. Lequel fait le moins de mal : la balle au cœur ou le coup de pied au cul? Il y a deux écoles.

Lorsque nous nous quittons le climat est à l'attendrissement. Pourtant la nuit de Noël s'annonce mal. Une pluie fine, froide, donne aux rues un air de mauvaise santé. A deux degrés près ce serait la neige en tapis sous les pas, on entendrait le chœur des anges. Tout serait transfiguré.

Peut-être me suffirait-il aussi de modifier de deux degrés ma température intime pour me sentir l'âme moins pluvieuse.

TROISIÈME PARTIE

CATHERINE

De son toit brûlant...
LA CHATTE
Jeanne Moreau
hurle à l'amour
tous les soirs au théâtre Antoine.

Publicité.

CHAPITRE VIII

L'aventure de Catherine commença un matin de novembre lorsqu'elle poussa la porte du studio où, depuis trois mois, elle apprenait les rudiments de l'art dramatique. Sur une petite estrade figurant la scène, le Maître s'employait à expliciter le cynisme du Dom Juan de Molière :

... « Je ferai le vengeur des intérêts du ciel et sous ce prétexte commode je pousserai mes ennemis, je les accuserai d'impiété et saurai déchaîner contre eux des zélés indiscrets, qui, sans connaissance de cause, crieront en public contre eux, qui les accableront d'injures et les damneront hautement de leur autorité privée. C'est ainsi qu'il faut profiter des faiblesses des hommes et qu'un sage esprit s'accommode aux vices de son siècle. »

Une dizaine de Marlon Brando, un bataillon de Gérard Philipe, des Ingrid Bergman et des Brigitte Bardot innombrables applaudirent avec extase et le Maître voulut bien sourire. Ce climat d'admiration fervente lui faisait oublier les années sombres de son âge mûr. Lorsqu'il avait fondé ce cours d'art dramatique, ses derniers espoirs de brillante carrière se brisaient les ailes contre les portes closes. Il commençait d'être frappé de ce mal pernicieux que les comédiens contractent par de trop longues stations dans des antichambres hostiles et qui les livre à jamais aux lentes agonies des tournées de province.

La mort d'une vieille tante, l'héritage d'un vaste studio et l'idée de créer une école avaient changé la face du monde. Le « troisième couteau » était devenu le Maître, cette mutation s'accompagnant d'une émouvante sécurité matérielle.

Catherine se coula près d'un Jean Marais de vingt ans qui lui murmura :

— Tu as bien fait de venir, ma poule, je crois qu'il y a du nouveau...

— Voilà comme il faut jouer Molière, dit le Maître, gravement. Parce que Molière, c'est un monde, vous comprenez? Quand je vois la manière dont « ils » l'assassinent...

Le Maître composa un rictus douloureux assorti d'un de ces soupirs qui, bien placés dans le masque, peuvent être perçus par un sourd du troisième balcon.

— Molière, c'est la vérité, le sel du théâtre, le seul qui... vous m'entendez, le seul... pas vos Anouilh et vos Sartre... Mais vous, naturellement, vous préférez les modernes !

— Non, crièrent les élèves, oh non ! avec indignation.

— S'il n'y avait pas Molière, dit le Maître, imaginez-vous que je continuerais cette épuisante vie ? Car je me tue lentement, vous vous en rendez compte. Je me tue pour des jeunes gens qui ne paient pas toujours leurs cours à la fin du mois.

— Maître, dit Catherine, mes parents me donneront l'argent la semaine prochaine.

— L'argent ne m'intéresse pas, dit le Maître. D'ailleurs Molière le méprisait. Mais il ignorait les notes d'électricité. Car on me fait payer des notes d'électricité, mes enfants ! Comme si j'étais épicier !... Jean-Louis, viens ici... reprends le monologue de Dom Juan : « Il n'y a plus de honte maintenant à cela : l'hypocrisie est un vice à la mode... »

— Qu'est-ce que tu disais ? souffla Catherine à son voisin. Il y a du nouveau ?

— Zingel ! dit le garçon comme il eût dit Molière.

Les élèves accordèrent une attention critique à celui des leurs qui, sur la petite scène, s'efforçait à la fourberie.

— « ...Combien crois-tu que j'en connaisse qui, par ce stratagème, ont rhabillé adroitement les désordres de leur jeunesse, qui se sont fait un bouclier du manteau de la reli-

95

gion et, sous cet habit respecté, ont la permission d'être les plus méchants hommes du monde? »

— Non, non, mille fois non! hurla le Maître; pas maichant, méchant... méchant... avec un accent aigu, terriblement aigu...

— « ...d'être les plus maichants... », redit l'infortuné dans une tornade de rires serviles.

Alors Zingel entra, accompagné d'un inconnu. Un long frisson courut sur la salle à la manière d'une onde de choc à la surface d'un lac. Avec la lassitude qui sied à un metteur en scène célèbre, Zingel salua le Maître et fit les présentations.

— M. Delamotte-Vaillard, le producteur de mon prochain film.

Le Maître précéda ses hôtes au bord de la petite scène et informa ses élèves que M. Zingel allait leur exposer lui-même le but de sa visite. Le metteur en scène enveloppa d'un regard accablé les visages qui se tendaient vers lui et fit un effort visible pour descendre des sphères de sa méditation jusqu'au plan trivial de l'explication.

— Vous savez peut-être... ou plutôt vous ignorez sans doute, car votre génération lit peu, vous ignorez donc que nous avons acquis les droits cinématographiques du Prix des Dix : *Les Amants de Saint-Germain*.

— Une grande œuvre! crut devoir souligner M. Delamotte-Vaillard.

— Un bon livre! dit Zingel sans chaleur. J'ai écrit moi-même l'adaptation de cet ouvrage. Pour des raisons... multiples, j'ai été conduit à déplacer, ou mieux, à transposer le thème général du livre dans la recherche que j'ai faite de sa signification subjective. Bref, j'ai replacé en Islande, sous le titre *Iceberg*, l'essentiel du récit en le dépouillant de scories trop littéraires. Passons! Charles Boyer jouera Pietr, le Bernard du livre. Quant à Elizabeth, c'est-à-dire Toove...

Sous les juvéniles corsages, cent cœurs affolés accélérèrent leurs battements.

— M. Zingel ne veut pas d'une vedette, dit lugubrement le producteur.

— Toove ne *peut* pas être une vedette, soupira Zingel de la manière qu'on répète pour la millième fois à un écolier que deux et deux font quatre. Pietr est une vedette parce que Pietr est un homme achevé, qui vit sur la terre. Mais Toove! Toove est une fumée, un songe... J'ai traqué ce songe à travers tous les continents, pendant quatre mois...

— Cinq mois, dit M. Delamotte-Vaillard sans dissimuler sa douleur, cinq longs mois!

— J'ai vu des milliers de jeunes filles de tous les milieux, de toutes les couleurs. Je n'ai pas trouvé Toove.

— Cher ami, dit le producteur, je suis sûr qu'aujourd'hui nous serons plus heureux; je le sens.

Zingel exprima par un amer rictus le peu de crédit qu'il accordait à ces pressentiments olfactifs.

Le Maître se composa une allure de réflexion. Cela faisait partie des règles de ce jeu cruel. Il avait déjà opéré mentalement une sélection parmi celles de ses élèves qui pouvaient avoir une chance, mais il importait que Zingel eût le sentiment de faire lui-même le choix. A défaut de talent, le Maître possédait assez de psychologie pour savoir que les Zingel n'apprécient rien tant que les joies de la découverte. Dans le cœur de tout metteur en scène sommeille un Pygmalion qui le pousse à traquer Galatée chez les dactylos de rencontre. Le Maître utilisait en virtuose ce travers innocent, sachant trop bien que de telles visites constituaient un gage de prospérité. N'y apprît-on point la comédie, qu'un cours d'art dramatique assuré de la fréquentation de metteurs en scène et de producteurs ferait salle comble.

Le Maître parcourut des yeux son palpitant cheptel et appela, comme s'il improvisait : « Marie-Laure... Christiane... Jocelyne... voyons... Claude... »

Les élues s'alignèrent sur la petite scène. En bon stratège, le Maître avait alterné la blonde et la brune, chacune exaltant les qualités de sa voisine et en recevant le même service. Le Maître poussa le souci du détail jusqu'à dispo-

ser sur la scène deux petites boulottes vouées
de toute évidence aux rôles de soubrettes classiques pour le reste de leur âge. Le choix de
ces deux demoiselles répondait à une double
préoccupation. D'abord leurs rotondités faisaient paraître plus déliés, moins matériels, les
galbes de leurs compagnes. D'autre part, l'évidence qu'elles n'étaient point aptes à incarner
une Mélisande islandaise donnerait à Zingel le
sentiment exquis d'avoir à découvrir la perle
rare parmi la pacotille des bijoux imités qu'on
brasse dans la sciure.

Ayant composé son groupe en étalagiste
expert, le Maître fit manœuvrer ses troupes.

— Toove est une fumée, un songe..., avait
dit Zingel.

Des filles de vingt ans s'efforcèrent de
ressembler à cet idéal modèle. Elles maudirent
soudain leurs seins trop droits, leurs croupes
impertinentes, elles tentèrent de minimiser
l'éloquence de leur corps pour rejoindre l'apparence de cette petite héroïne nordique
qu'elles ne connaissaient pas la minute précédente et dont elles devaient sur-le-champ
matérialiser l'image. Toutes regrettèrent désespérément de ne s'être pas nourries de
neige et de biscottes pendant vingt ans pour
arriver au seuil de cette matinée capitale
avec l'allure poétique et lointaine d'une fée
atteinte de phtisie.

M. Delamotte-Vaillard examina chaque

candidate avec l'attention la plus bienveil-
lante et sans souhaiter qu'elle fût plus imma-
térielle. Il déplorait qu'en passant de Saint-
Germain-des-Prés à Reykjavik le fantasque
personnage féminin du Prix des Dix se fût,
par la faute de Zingel, un peu trop désincarné.
Il tenait pour incontestable que des hanches
avenantes n'enlèvent rien au talent de qui
les possède et contribuent efficacement à la
satisfaction intime du spectateur. M. Delamotte-Vaillard considérait en outre que la
position de producteur s'assortit tout naturellement de certains privilèges précieux à
l'homme de cinquante ans, et dont l'esthétique éthérée de son metteur en scène risquait de le frustrer. Sous le rapport des
exaltations charnelles, sa jeunesse n'avait pas
été comblée. Cadet d'une austère famille
d'armateurs protestants, il avait dû longtemps
se satisfaire d'épuisantes imaginations solitaires. Aussi, lorsqu'il fut mis en possession
de sa part d'héritage, apprit-il avec émer-
veillement que le bureau directorial d'un
producteur de cinéma était la ligne la plus
droite qui mène du salon de thé au divan.
Possédant un compte en banque, il lui suffisait d'acquérir un duffle-coat pour faire bonne
figure dans une profession où beaucoup se
contentent du duffle-coat. Ce fut comme un
coup de soleil sur une campagne grise. De
frissonnantes beautés gravitèrent dans son

orbite. Ses refoulements anciens trouvèrent l'adorable exutoire de jeunes corps candides qui rêvaient de projecteurs et savaient qu'il faut souvent s'allonger sur le chemin montant, sablonneux, malaisé, qui conduit à la tête d'affiche. M. Delamotte-Vaillard découvrit qu'en ce monde singulier, dans lequel il entrait par la grande porte, les ingénues croisent haut leurs jambes pour mieux ouvrir leurs cœurs. Au reste ce mode de recrutement lui parut moins onéreux que l'entretien d'une danseuse de l'Opéra, technique que pratiqua son père jusqu'au jour funeste où un petit rat aux dents trop longues eut raison d'une santé jusque-là robuste.

— Cette petite me semble très douée, souffla-t-il à l'oreille de Zingel, en parcourant de l'œil les mérites d'une brune audacieuse qui détaillait les imprécations de Camille avec un tempérament prometteur.

Zingel haussa les épaules. A l'inverse de son producteur, il attachait peu de prix à la jeune fille en fleur. Son univers sensuel était sombre, chaotique et d'une complexité redoutable.

— Merci, mademoiselle, c'est très bien, dit-il avec une bienveillance écœurée.

En vertu de l'élan acquis, l'alexandrin courut sur les lèvres de la belle jusqu'à la césure. Puis la brune Camille, précipitée des hauteurs cornéliennes, s'en fut aux lavabos cacher les déchirantes larmes d'une bachelière recalée à l'oral.

Une Elvire lui succéda sans plus de succès. Puis une Sauvage, trop rose pour son malheur. deux Gigi disparates, une Ondine battue d'avance par un buste triomphant...

— Merci, mademoiselle, c'est très bien, dit Zingel à chacune en passant sur son front la main lasse d'un homme qui n'a pas mérité pareille épreuve.

Depuis le début, le Maître avait mis en Catherine le meilleur de ses espoirs. Il convenait donc de ne pas la pousser en avant.

— Catherine, dit-il, viens ici... A tout hasard, passe-nous Badine...

En langage commun « passer Badine » signifie jouer une scène de *On ne badine pas avec l'amour*. Chaque corps de métier est jaloux de son argot qui le protège des profanes. Un médecin qui dirait un « rhume de cerveau » se déconsidérerait.

Catherine monta sur la scène, le cœur un peu rapide, s'efforça de fixer un point vague, à égale distance des dizaines de regards qui la cernaient, et lança d'une voix encore mal assurée :

— « Lève la tête, Perdican... »

Elle n'eut pas à poursuivre. Une sorte de grondement se forma sur les lèvres de Zingel qui escalada la scène et, lentement, tourna autour de la jeune fille. Dans un silence assourdissant, le metteur en scène parla, montant le ton à chaque mot.

— J'ai parcouru le monde... le monde entier, pendant des mois... J'ai vu des Cinghalaises, des Laponnes, des Australiennes... Et elle était là... à trente mètres de Saint-Augustin... Voilà Toove!... Vous m'entendez, voilà Toove, c'est elle!...

— C'est frappant, dit M. Delamotte-Vaillard.

— Non, ce n'est pas frappant, hurla Zingel, je vous défends de dire cela. Cette jeune fille est le contraire de mon personnage...

— Mais alors, dit M. Delamotte-Vaillard, mais alors?...

— Personne ne peut ressembler à Toove. Je veux la créer, entièrement. Je cherchais une pâte... La voici... une pâte docile. Vous serez cette pâte, mademoiselle, je ne me suis jamais trompé. Venez demain matin au studio pour un bout d'essai. Je vous ordonne de ne pas lire le livre, cela vous donnerait des idées fausses. Jusqu'à demain ne pensez à rien. Vous m'entendez? A rien!

Lorsque les deux hommes eurent quitté la salle, les élèves entourèrent Catherine et elle chercha vainement sur leurs visages les expressions connues. Quelques instants avaient suffi à modifier ses rapports avec le groupe. Sous la familiarité des mots perçait une sorte de déférence. Elle était soudain l'élue, et dans les compliments qui convergeaient vers elle, il y avait moins d'envie que d'admiration, de joie véritables. Pour ces filles et ces garçons, Catherine devenait la preuve irréfutable qu'ils ne cheminaient pas sur une voie sans issue.

— Tu te rends compte, dit une maigre Danièle Delorme, débuter dans un film de Zingel!... avec Boyer comme partenaire!...

Et le groupe se prit à songer que les miracles étaient encore de ce monde. Les milliers de personnages qui s'agitaient dans les cœurs de ces jeunes gens en attendant le moment de naître reçurent de quoi fortifier leur espérance. Empruntant les bouches juvéniles de leurs futures interprètes, des héros et des héroïnes innombrables félicitèrent Catherine dont l'exemple était un gage qu'ils sortiraient un jour des limbes.

— Vous êtes gentils, dit Catherine. Moi, je n'arrive pas à y croire.

Le Maître songea aux échos, aux articles qui auréoleraient son cours d'un lustre incomparable.

— Catherine, dit-il, tu es sans doute perdue pour l'art dramatique. Le cinéma est un Moloch! Je prévois que le temps n'est pas éloigné où tu oublieras ton maître...

— Jamais!... dit Catherine.

— Alors tu oublieras Molière, c'est pire. Le Septième Art — comme ils disent — n'a pas besoin de Molière. Au reste, le connaît-il?

Enfin! Ce qui est fait est fait. Revenons aux choses sérieuses : passe-moi Badine.

Le silence s'établit dans le studio. Celle qui allait jouer n'appartenait plus exactement au groupe. Elle était marquée d'un signe.

— « Lève la tête, Perdican, quel est l'homme qui ne croit à rien? »

— C'est mauvais, soupira le Maître, bien mauvais.

A la fin du cours, Catherine se hâta vers la gare Saint-Lazare. Elle voulait que la prodigieuse nouvelle fût servie toute fraîche au déjeuner familial. En passant dans la rue du Havre, elle entendit la monotone invite :

— Tentez votre chance...

Elle regarda le vieil homme sans le voir, songeant en elle-même qu'elle venait de gagner le gros lot.

CHAPITRE IX

Les parents de Catherine accueillirent avec réserve la promotion de leur fille au grade de future vedette. Ils s'étaient résignés malaisément à autoriser Catherine à accomplir sa vocation de comédienne sur les conseils d'un de ces prêtres évolués qui s'introduisent dans les meilleures familles où leurs ravages sont grands. Cet ecclésiastique libéral remontra aux parents que David dansait devant l'arche, que la religion était la sœur aînée du théâtre et qu'une jeune fille bien née pouvait servir Dieu en tous lieux. Il ne craignit pas de citer le cas d'une danseuse nue de « Chez Tantine » qui, le jour venu, convertissait le produit de ses performances chorégraphiques en trousseaux destinés aux petits Nègres du Congo. L'exemple de saint Martin se trouvait suivi jusqu'en ses prolongements extrêmes et dépassait le partage puisque, dans la mesure même où la danseuse se dénudait davantage, les petits Nègres se trouvaient plus complètement vêtus.

Privés des secours de la religion, les parents consentirent. Du moins entrevoyaient-ils la carrière de leur fille sous des apparences classiques et rassurantes : de longues études, une sorte de stage, de petits rôles et, couronnement d'efforts constants, la Comédie-Française aux approches de la cinquantaine.

Et voici qu'après trois mois de cours la photographie de Catherine paraissait en première page des journaux, assortie d'articles et de légendes où le lyrisme ne le cédait qu'au dithyrambe. Désormais, le pavillon du Pecq fut visité plusieurs fois la semaine par des journalistes flanqués d'impérieux photographes qui, sous prétexte d'angles, déplaçaient les meubles et barbouillaient les glaces coupables de reflets.

Catherine devait le plus souvent figurer dans sa chambre de jeune fille, abandonnée dans une pose rêveuse, la main sur un livre de philosophie, une poupée près d'elle et la jambe négligemment découverte. La pose variait d'un photographe à l'autre, le livre aussi, la poupée se muait parfois en ours de peluche, mais la jambe émergeait toujours du peignoir ou de la jupe.

Les parents avaient tenté de réagir contre ce parti pris. Ils n'appréciaient pas l'honneur de voir les cuisses de leur fille reproduites à plusieurs millions d'exemplaires, non plus que l'obligation d'avoir à répondre aux questions des envoyés spéciaux qui transformaient la chronique familiale en une ébouriffante saga.

— Ma petite Cathy, disait la mère, je me demande où tout cela va nous mener!

Catherine ne se posait pas cette question. L'événement dont elle était l'héroïne secouait l'immobilisme de la vie familiale et cela lui suffisait. Elle appréciait trop vivement le mouvement en tant que tel pour se demander où elle allait. L'essentiel étant de bouger, elle se lançait corps et âme sur cette nouvelle route aux détours imprévus et dont les horizons l'attiraient d'autant plus qu'ils étaient moins connus.

Ce matin-là, en sortant de la gare Saint-Lazare, elle songea que son père était naïf de l'obliger à poursuivre ses cours d'art dramatique. Zingel n'aimait pas cela. Il assurait que tout enseignement ne pouvait que nuire au personnage qu'il entendait façonner.

— Je ne veux pas que Toove parle comme au Conservatoire.

— Et moi je veux que Cathy termine ses études, avait répondu le père, soucieux d'appliquer à une situation insolite les bonnes vieilles recettes de l'éducation traditionnelle.

Catherine se laissa porter par la foule de la rue du Havre. C'était une de ces matinées maléfiques où tous les passants semblent avoir des difficultés avec leurs affaires, leurs consciences ou leurs proches. Il n'est pas rare que les quartiers offrent ainsi une physionomie unanime, comme si leurs habitants subissaient un état d'âme épidémique. La rue du Havre sentait la fatigue et la méfiance. Dans la houle des faces grises, le visage heureux de Catherine paraissait déplacé. Elle allait dépasser le vendeur de dixièmes de la Loterie Nationale lorsqu'elle fut apostrophée par le vieil homme qui manifestait une émotion insolite :

— Hâtez-vous, mademoiselle, hâtez-vous... vous n'avez pas une minute à perdre...

Machinalement Catherine obéit à cette exhortation et fit quelques mètres d'un pas vif. Le vieil homme la suivit des yeux jusqu'à ce qu'elle disparût dans la foule.

— Il est un peu fou, se dit Catherine. Pourquoi faut-il que je me hâte? On ne m'attend pas au bout de la rue!

Sur le boulevard Haussmann, elle reprit l'allure de la flânerie. L'hiver s'annonçait par un soleil gelé. L'ombre des arbres du square Louis-XVI était translucide.

— Dans un mois, songea Catherine, je serai en Islande!

En arrivant au cours, elle alla prendre sa place à la droite du Maître. Un tacite protocole réglait ses rapports avec son professeur et ses camarades depuis le jour où le choix de Zingel l'avait marquée au front d'une étoile.

On ne lui demandait plus de « passer une scène ». Elle donnait parfois la réplique à un élève et le Maître, soucieux de ne pas déplaire au metteur en scène, se gardait d'épiloguer.

Pendant deux heures, Catherine fut la spectatrice attentive des évolutions d'un univers auquel elle n'appartenait plus que d'une manière formelle. Le Maître exhala ses habituels apophtegmes sur la décadence du théâtre, l'éternité de Molière et les difficultés qu'engendre, pour un cours libre, le retard des élèves à payer leurs leçons. Pour la première fois, Catherine prit conscience qu'elle ne participait plus à cette comédie que se jouaient les uns aux autres les membres de cette chapelle. Quoi qu'elle fît, elle était désormais en marge.

Cette constatation lui fut douce-amère. Quand le navire change de cap, tout est remis en question. Extraite par le hasard d'un contexte familier, Catherine s'avisa qu'elle allait rencontrer la solitude et qu'il lui faudrait opérer au plus vite sa propre création du monde.

A la fin du cours, elle fut abordée par un de ses camarades.

— Viens boire un verre chez moi... Je voudrais travailler Priola et je n'ai pas de réplique.

Vingt ans, une tête de condottière basque sur un corps de danseur, Antoine était l'élèvevedette du cours et, pour Catherine, un bon compagnon.

A Montmartre, la chambre dominait un Paris enfumé, frileux et magnifique. Ce panorama déployé à perte de vue rendait plus sensible l'exiguïté de la pièce et la précarité de son climat, les chambres les jeunes années tiennent de la cabine et de la loge, de tous ces endroits qu'on peut quitter en cinq minutes sans y laisser son cœur. Les reproductions de Van Gogh n'y sont retenues que par une punaise; les disques de Sydney Bechet, rangés dans leur mallette de faux cuir, sont prêts au voyage, les livres épars n'ont pas de place attitrée et la couverture berbère n'est pas taillée aux mesures du divan. Ce sont des chambres qu'on emporte avec soi dans deux valises.

— Si tu veux du scotch, dit Antoine, je peux en avoir dans un PX à 800 francs!

— Oh! moi, dit Catherine, le scotch...

— Tu sais, dit Antoine, j'ai des tuyaux sur ton film. D'après l'assistant de Zingel, l'Islande n'est plus dans la course... question de devises et de laboratoire... Le père Delmotte-Vaillard est en pourparlers pour l'Irlande. A une lettre près, ce n'est pas un drame; mais il faudra changer le titre. Tu n'es pas au courant?

Catherine avoua que Zingel la tenait dans une volontaire ignorance des mutations des *Amants de Saint-Germain*.

— Il prétend que je ne dois rien savoir « pour rester totalement disponible ». Pour le moment, il m'observe; il tourne autour de moi comme un chat autour d'une souris. Je n'ai même pas lu le scénario.

— Ce serait du temps perdu, dit Antoine. Un scénario, ça va et ça vient. La preuve!

— Pour l'Irlande, dit Catherine, c'est sans doute vrai : Zingel veut me faire tourner un bout d'essai en rousse.

Depuis quinze jours qu'elle avait franchi le seuil de l'univers cinématographique, Catherine souhaitait un confident qui connût le sens des mots. Ses parents n'étaient que questions, étonnements, réticences. Avec Antoine, elle pouvait parler, se raconter à elle-même cette exploration où elle était à la fois la découvreuse et la découverte.

Elle dit la surprise des premiers contacts avec cette machinerie singulière qui possède ses propres lois physiques, économiques et sociales, sa terminologie, sa morale, ses dieux, sa géographie et son histoire. En entrant au studio pour tourner le bout d'essai décisif, son premier sentiment avait été qu'elle cessait d'exister. Jamais auparavant elle n'avait pris conscience de sa *personnalité* ni que celle-ci fût la résultante d'une certaine manière de penser, de marcher, de s'habiller, d'une somme de petits choix, dont elle était seule comptable. Catherine, dix-huit ans, cheveux blonds coupés courts, robe de drap couleur de sable, visage tendre et corps léger, démarche sage... Paradoxalement elle eut la révélation de son existence dans l'instant qu'elle se désincarnait.

Des hommes et des femmes d'excentrique apparence prirent possession d'elle. Sous l'œil d'un Zingel diaboliquement inspiré, un coiffeur fameux la dépeigna durant des heures.

— Plus fous, les cheveux, disait Zingel, tous les vents du Nord sont passés dessus.

De grands couturiers bâtirent sur elle des haillons harmonieusement déchiquetés. Entre les mains de Russes minutieux et frénétiques, le visage de Catherine s'effaça derrière celui de Toove.

Puis le plateau, les projecteurs, la caméra...

— Regardez le plancher, dit Zingel. Levez les yeux, lentement, avec un sourire triste... Marchez vers moi maintenant... Frissonnez... il fait froid... si froid...

Le soir dans la salle de projection, Catherine vit en face d'elle, sur l'écran, une fille évanescente qu'elle ne reconnut pas, dont chaque mouvement, chaque geste et jusqu'aux pensées lui étaient étrangers.

— Excellent, dit M. Delamotte-Vaillard en laissant longuement sa main sur l'épaule de Catherine, tout à fait excellent.

— Infâme, dit Zingel, infâme, informe et sublime. C'est le néant dont je rêvais.

Catherine raconta à Antoine qu'elle avait dû, le lendemain, tourner nue, car une scène du film comportait un épisode aquatique et Zingel exigeait que le corps de Toove inspirât une grande impression de pureté.

— Il paraît que c'est un beau vicieux, dit Antoine.

Catherine n'avait rien soupçonné de tel. Le metteur en scène l'avait disposée sur un tapis comme il eût fait d'un objet, veillant à ce que les éclairages la dessinent à son gré. De même, en mesurant la distance de la jeune fille à la caméra, les opérateurs n'avaient pas regardé d'un œil différent les boutons de leurs objectifs et les seins découverts que le froid durcissait.

— Tu vois, dit Catherine, je n'ai pourtant pas l'habitude de me montrer nue comme ça, mais je n'étais pas gênée. Je ne me reconnaissais pas. C'était très agréable.

— Au fond, dit Antoine, c'est pour cela que nous sommes comédiens.

Catherine ne s'était jamais interrogée sérieusement sur la métaphysique de son métier. En décidant de se consacrer à l'art dramatique, elle obéissait moins à une vocation qu'à cette mode qui, depuis la guerre, fait des filles de la petite bourgeoisie des comédiennes, des assistantes sociales ou des hôtesses.

— Moi, dit Antoine, j'aime surtout ne pas reconnaître les autres ! Quand je les regarde, j'ai toujours envie de crier : « Rideau! » Nous sommes nés beaucoup trop tôt. Tu n'as pas l'impression de t'être fourvoyée dans une salle de spectacle plusieurs heures avant la représentation? On nous a donné le programme mais personne ne frappe les trois coups. Oh! le programme est tentant : l'énergie atomique au service de la cuisinière, la régénération des cellules et le cœur artificiel, Paris-New York en trois heures, les vacances dans la Lune... Malheureusement tout cela est pour demain. Aujourd'hui, je me chauffe au bois, personne ne guérit mon rhume de cerveau et j'ai rarement assez d'argent pour passer le week-end à Fontainebleau. On ne peut pourtant pas rester sur un strapontin toute sa vie en attendant un spectacle qui sera peut-être un four. Puisque l'époque se joue la comédie, soyons réellement comédiens. C'est plus honnête.

Debout devant la fenêtre, Catherine écoutait distraitement : les idées générales ne pouvaient pas l'atteindre et se trouvaient masquées par la dimension inattendue de son cas particulier; mais elle écoutait sans déplaisir ce garçon mince et sombre en qui, instinctivement, elle reconnaissait son prochain.

— Zingel t'a demandé de coucher avec lui? questionna Antoine.

— Non, dit Catherine, et je crois pas qu'il y pense. Par contre le producteur...

— Ce vieux jeton! dit Antoine.

Catherine avait déjà songé à cet aspect de son aventure. Le problème ne se posait pas à elle en termes de morale, mais elle eût souhaité mieux connaître les règles du jeu pour en respecter l'esthétique.

— Il te dégoûte? demanda Antoine.

— Je n'en sais rien, je n'y ai jamais pensé, jamais de cette façon. Tu crois que forcément...

— Oh! dit Antoine, il ne te violera pas, cela ne se fait plus. Mais tu auras l'air un peu cruche si tu appelles ta mère.

— De toute manière j'aurai l'air cruche, dit Catherine, parce que je suis vierge.

Le garçon accueillit cette confidence sans suprise pour l'avoir souvent recueillie sur d'autres lèvres. L'émancipation de la population féminine du cours était assez complète pour que les filles n'eussent pas plus de complexes à garder leur virginité qu'à la perdre.

— Tu comprends, dit Catherine, je n'en fais pas un drame, mais je suppose qu'on n'oublie pas tout de suite la première fois que l'ont fait l'amour. Je ne voudrais pas que ce souvenir ait la tête de M. Delamotte-Vaillard et...

Elle s'interrompit, consciente soudain qu'elle pensait tout haut et que ses paroles pouvaient paraître ambiguës. Elle s'astreignit à la légèreté pour dire :

— N'aie pas peur, ce n'est pas un appel du pied.

Antoine la rejoignit dans l'embrasure de la fenêtre et la proximité rendit plus perceptible l'émoi léger qui se glissait entre eux. Paris, déployé à leurs pieds comme un plan d'architecte se fardait de vapeurs. Catherine s'avisa qu'une boucle brune dansait joliment sur le front de son compagnon. Ils se regardaient sans vraie gêne mais avec un soupçon d'effort. Antoine se pencha vers Catherine et elle s'aperçut que la ville entière était à la merci de cette boucle brune qui s'interposait entre elle et le panorama. Dans son mouvement, comme on efface un tableau noir, Antoine escamota l'Arc de Triomphe, l'Opéra, puis plus lentement, Notre-Dame, les toits de Charonne et de Ménilmontant. La ville de quatre millions d'âmes disparut derrière le seul visage d'un garçon de vingt ans et Catherine entrouvrit les lèvres pour accueillir cette bouche qui ne souriait plus.

— Si tu veux de moi pour souvenir, dit Antoine.

La couverture berbère reçut leurs deux corps assemblés. Leurs échanges furent d'abord trop lucides. Le protocole qui régissait leur amitié interdisait l'emploi de ces mots d'alcôve qui dépaysent le cœur. Antoine dévêtit Catherine d'une main précise; à peine frissonna-t-elle lorsqu'il fit glisser à terre ses dernières défenses. Renversée sur le lit et les jambes dénouées, elle laissa Antoine la parcourir de caresses soigneuses. Il restait fraternel dans ses gestes les plus louches. Catherine s'étonna d'être la spectatrice très consciente de son propre plaisir. Elle avait l'impression qu'Antoine, tendrement, lui donnait la réplique dans une scène inédite dont elle découvrait, grâce à lui, les péripéties. Tout ce qu'ils se disaient sur ce grand lit défait, ils l'avaient déjà dit, sur la scène du cours, à travers tant de personnages! Ils avaient clamé leur passion, avoué leurs troubles, confessé leurs tourments en tant de strophes alternées que la magie des mots ne leur montait plus à la tête.

— Comme tu es belle, Catherine, dit Antoine.

La jeune fille sourit. Un instant elle faillit penser que son partenaire faisait une faute de texte.

— « Comme tu es belle, Camille, lorsque tes yeux s'allument... »

Mais ce n'était pas Perdican, qui se penchait vers elle.

— Comme tu es belle, Catherine..., dit Antoine et elle entendit dans le ton une note inconnue.

Dressés à parler juste, ils s'essayèrent à parler vrai.

— Mon chéri..., dit Catherine, timidement.

Soudain elle connut sur elle le poids d'un homme, en elle la force d'un homme et sa dureté. Franchi le seuil de la brève douleur, elle se livra au mouvement profond que sollicitait Antoine et cette houle l'entraîna vers des régions ignorées. Au comble de la tempête pourtant, elle resta attentive. Les vagues passèrent sur elle sans la noyer. Balancée entre une crainte ancienne et la curiosité du moment, les bras refermés sur ce garçon qui gémissait, Catherine garda les yeux ouverts.

Lorsque Antoine se rejeta sur le flanc, immobile, Catherine s'efforça de considérer le corps hors d'haleine comme celui de son amant, mais le mot lui parut excessif. Au fil des minutes chacun revint à soi et donc se détacha de l'autre. Subsista seule une tendresse sereine.

Sur le drap deux taches rouges, comme deux cachets de cire, semblaient sceller une page importante; mais rien d'essentiel n'avait été écrit et Catherine, au fond d'elle-même, soupçonna que la page restait blanche.

CHAPITRE X

Depuis qu'ils avaient quitté l'Ile-de-France, *Les Amants de Saint-Germain* avaient subi de notables avatars. Après l'Islande, point extrême de leur poussée vers le nord, ils avaient mis cap au sud pour une halte en Irlande où *Iceberg* était devenu *La Vierge du Sinn-Fein*. De confus démêlés avec l'Office des Changes avaient provoqué une nouvelle émigration. Un instant on avait pu craindre que les amants ne revinssent purement et simplement à Saint-Germain ce qui, dans la perspective cinématographique, eût été un désastre. L'alchimie de la coproduction sauva la situation, en assignant le Portugal comme lieu de résidence au Prix des Dix qui devint tout naturellement *Le Batelier du Tage*.

Ces déménagements rendirent inconfortable la position de Catherine. Chaque déplacement du film dans l'espace incitait Zingel à modifier l'apparence de son héroïne et il apportait à ce travail la démesure qui lui tenait lieu de génie. De blonds pâles, les cheveux de Catherine virèrent au roux lorsque Déborah remplaça Toove, puis, s'assombrirent à mesure que le film descendit vers le sud. Bientôt Amalia perça sous Déborah. Zingel étudia une teinture aile de corbeau.

Bien plus, le metteur en scène entendait que non seulement les couleurs mais les lignes et les volumes fussent dociles à ses vœux. Catherine dut accepter une opération qui la dota, au terme d'abominables souffrances, d'un nez strict et bref, en quoi Zingel reconnut le nez même de l'éternelle Irlande mais qui, par la suite, se révéla à peine acceptable pour la bergère d'Estrémadure que devait être Amalia.

Les parents de Catherine assistaient, éperdus, à ces mutations. Avant même qu'il ne fût question de nez, le père de famille et le metteur en scène se livraient de furieux assauts qui atteignirent leur paroxysme le jour où Zingel entreprit de s'attaquer aux seins de Catherine.

— Moi vivant, dit le père, vous ne toucherez pas à la poitrine de ma fille.

— Mais les Irlandaises, monsieur...

— Je ne connais pas les Irlandaises, dit le père, et je ne veux pas les connaître. La poitrine de ma fille restera telle qu'elle est. J'ai eu la faiblesse de céder pour les cheveux...

— C'est impossible, dit Zingel, la Vierge du Sinn-Fein ne peut avoir la poitrine ronde. Les seins de mon personnage doivent être menus et droits sans quoi l'intrigue n'a plus aucun sens.

— D'ailleurs, dit le père, avec un soutien-gorge approprié...

— Soutien-gorge..., dit Zingel en levant vers le ciel des yeux épouvantés. Que ferais-je d'un soutien-gorge alors que la Vierge est nue pendant 1 800 mètres?

— Jamais, dit le père.

La discussion dès lors devint confuse, chacun des deux hommes se réfugiant dans un univers auquel l'interlocuteur n'avait pas accès.

— Et les Sinn-Feiners, enflammés par cette nudité virginale...

— Chez les Bricart, les filles ont toujours eu...

— La morale de l'Art...

— Les seins de Catherine sont Bricart....

— Lorsque O'Connor dit : « Tes seins sont les poires à poudre de la révolte », comment voulez-vous...

— Quand on n'est pas malade, on ne se fait pas opérer.

Catherine assistait en spectatrice à cette joute dont elle était l'enjeu. Elle concevait mal qu'on osât résister à Zingel. Un homme qui peut, à sa fantaisie, reconstruire Notre-Dame de Paris ou faire traverser la mer Rouge aux Hébreux, ne saurait hésiter devant l'obstacle dérisoire de deux jeunes seins gonflant un peu trop le jersey du corsage. Catherine savait que son corps de tous les jours n'était que l'humble support de personnages dont la dimension la dépassait. Elle acceptait comme allant de soi son nouvel état de matière première.

— C'est à prendre ou à laisser, dit le père.

La thèse familiale reçut un renfort inattendu en la personne de M. Delamotte-Vaillard. Catherine avait cédé sans résistance excessive aux avances de son producteur et était devenue sa maîtresse en se souvenant des aphorismes d'Antoine :

— Le pucelage n'est pas la virginité... Les oies blanches sont les plus salissantes... etc.

Au reste, les exigences de M. Delamotte-Vaillard ne sortaient pas des limites de la bienséance. Les raffinements sensuels lui étant étrangers, il n'imposait à Catherine qu'un minimum de sévices corporels. Les rendez-vous dans la garçonnière Directoire du boulevard Murat sacrifiaient plus au badinage qu'à l'érotisme. Hormis l'obligation d'appeler son partenaire Étienne, Catherine se résignait sans haut-le-cœur à de brèves étreintes assorties de xérès et de musique douce. En quittant l'immeuble, elle faisait bouffer ses cheveux comme un oiseau ses plumes et s'en allait, le corps tranquille, sans être poursuivie par le sentiment qu'on avait attenté à son intégrité.

Considérant donc que les seins de Catherine représentaient une hypothèque dont il était le créancier privilégié, M. Delamotte-Vaillard s'opposa à toute manœuvre tendant à les minimiser.

Battu d'une courte poitrine, Zingel prit sa revanche sur le nez.

Durant les jours qu'elle passa dans la clinique pour se remettre de savants rabotages, Catherine renoua avec sa mère des liens d'intimité que les années d'adolescence avaient relâchés. Sur le lit étroit, Catherine était couchée dans une de ses chemises de nuit de jeune fille, brodée de nids d'abeille, marquée de ses initiales entrelacées. Mme Bricart venait s'asseoir de longues heures au chevet de sa fille et s'efforçait de croire qu'elle surveillait la convalescence d'une scarlatine ou d'une de ces fièvres de croissance dont des chemises de nuit pareilles avaient été l'uniforme. La mère de famille recherchait à travers les mots de jadis le chemin des tendresses anciennes, des confidences et des conseils.

— Cathy, il ne faut pas boire un grand verre d'eau d'un trait...

L'illusion restait incomplète par la faute des roses du producteur, des télégrammes du metteur en scène, des coupures de presse, autant d'objets hostiles qui bousculaient les réminiscences. Le pansement collé sur le visage montrait brutalement que Catherine s'était embarquée pour d'autres voyages que les week-ends familiaux, ce pansement qui lui donnait une douloureuse voix de canard. Et Mᵐᵉ Bricart soupirait à la pensée qu'elle avait sans doute couvé un petit canard aventureux. Tout lui paraissait redoutable sur cette planète où s'engageait Catherine. Un monde où l'on discute froidement la forme des seins d'une jeune fille n'est pas un monde recommandable.

— Vois-tu, Cathy, j'ai peur de ne pas très bien comprendre, se hasarda-t-elle à dire un soir que le climat de leur tête-à-tête avait été plus attendri que de coutume.

— Comprendre quoi? dit Catherine.

— Ton nez, tes cheveux et tout le reste. Dans le temps tu étais têtue, tu faisais tes quatre volontés... Si je t'avais commandé de changer... tiens, la longueur de ta frange! Te souviens-tu du jour où je t'avais dit que cette frange faisait mauvais genre? Te souviens-tu de la comédie que tu m'avais faite? Je dis « la frange », mais c'était pour tout la même chose. Il ne fallait pas aller contre tes goûts. Maintenant... Enfin un nez, tout de même, c'est autrement plus grave qu'une frange! Tu n'as rien dit. Tu ne dis jamais rien quand M. Zingel est là! Il y a des moments où je me demande s'il ne t'a pas pris... je ne sais pas, moi...

Elle allait dire « ton âme », mais elle hésita devant la dimension du mot.

Catherine ne cherchait pas à analyser les causes qui lui faisaient répondre aux désirs de Zingel avec une docilité de zombie. Elle enregistrait sans révolte cette surprenante soumission comme faisant partie d'un ensemble dont tous les éléments étaient également inexplicables.

— Es-tu sûre, au moins, que ce M. Zingel soit quelqu'un de bien?

Catherine esquissa un geste de noyé. Ce genre de question lui donnait le vertige. Elle ignorait cette classification en « bien » et en « mal » dont ses parents faisaient la clef de voûte de leur architecture morale. Aucun des amis de Catherine ne se référait aux termes de cette alternative pour évaluer un être ou un acte; plus précisément, ils attendaient les conséquences de cet acte, les agissements de cet être — et dans la seule mesure où les uns et les autres les concernaient directement — pour juger. Mais comment expliquer à sa mère qu'on appartient à une génération qui a remplacé le bien et le mal par le bon et le mauvais? D'un côté, une femme de cinquante ans pour qui la Terre est ronde, l'orme séculaire, l'ordre établi, le chien fidèle, le minois frais, et le temps de saison; de l'autre, une jeune fille de dix-huit ans qui se refuse à admettre qu'un mets soit de roi aussi longtemps qu'elle ne l'a pas goûté. Le dialogue est vain.

— Cathy, ma petit chérie, il ne faut pas te méfier de moi; je ne cherche pas à t'influencer; tu es libre; mais je voudrais tellement être sûre que tu trouveras le bonheur dans la voie que tu choisis.

Catherine s'efforça de répondre. Elle eût aimé dire :

— Ma petite maman, tu viens de prononcer les deux mots qui nous séparent : sûre et bonheur. Je ne suis sûre de rien, ni des autres, ni de moi, surtout de moi. J'apprends à vivre au jour le jour comme les amis de mon âge et nous ne possédons pas le guide Michelin qui nous indiquerait les bonnes routes, les bonnes tables et les virages dangereux. Nous sommes des chemineaux sans bagages qui n'ont pas le bénéfice des voyages organisés. Rien dans les mains, rien dans les poches de ce que vous auriez souhaité y mettre. Quant au bonheur — ne te fâche pas — nous nous en passons. Il pèserait trop lourd et nous avons besoin d'une grande agilité. Ne crois pas que ce soit une solution de facilité, celle qui nous pousse à juger l'arbre à ses fruits au lieu d'admettre paisiblement que la merise ne vaut pas le cœur de pigeon. Non, maman, je ne sais pas si Zingel est « quelqu'un de bien », si j'ai raison de coucher avec mon producteur, si j'aurais été heureuse avec le pharmacien que papa me destinait, si j'ai eu tort de me faire opérer le nez... A chaque jour sa réponse, maman, à chacun sa vérité.

Catherine ne trouva pas les mots qui eussent accordé ses idées au vocabulaire maternel. Par crainte de souligner le malentendu, elle répondit par un baiser dont personne ne fut dupe. Quelque effort que fît la mère-poule, elle ne pouvait suivre son petit canard au milieu de la mare. Elle chercha dans sa propre jeunesse des points de comparaison, car elle eût aimé soupirer, en manière de consolation : « Après tout, c'est la vie... toutes les mères perdent leurs filles... » Mais lorsqu'elle avait dix-huit ans, ce n'était pas l'usage que des étrangers vous refissent le nez, ni les seins, ni le reste. Quant à la tête et au cœur, on n'en changeait pas comme de chemise, les parents s'y connaissaient avec un peu de bonne volonté.

Les deux femmes restèrent face à face avec leur tendresse vaine et leurs réponses informulées.

En quittant la clinique, Catherine fut reprise en main par Zingel qui redoubla d'ardeur à la façonner à l'image d'Amalia. Il la vêtit de jupes flottantes, la nourrit de crevettes frites et de melons d'eau. Catherine fut dès lors traquée par son futur personnage.

— Amalia ne s'assied pas ainsi... Amalia ne marche pas, elle glisse. Amalia ne mange pas, elle grignote... Amalia ne sourit pas, elle...

Le sourire d'Amalia donnait du souci à Zingel. D'illustres visagistes s'acharnèrent longuement sur la bouche de Catherine.

— Je veux une bouche de figue et de prune, avait dit Zingel.

Marcel, Harriet, Antonio et d'autres prénoms fameux usèrent leurs pinceaux à poursuivre ce fruit hybride.

— Trop lourd..., disait Zingel, ou trop cruel, trop mièvre, manque de sensualité, trop d'amertume, plus de pulpe...

A chacune de ses métamorphoses, les journalistes épiaient chez Catherine les signes d'une hérédité artistique et la consacraient successivement comme une nouvelle Garbo, une nouvelle Bergman, une nouvelle Une Telle. Catherine éprouvait effectivement l'impression d'être un nouveau personnage, mais lequel? Trop occupée à changer de robes et tenue par contrat d'assortir ses états d'âme à ses toilettes, elle remettait à des lendemains confus le soin de s'approfondir. Elle acceptait de n'être provisoirement qu'une « nouvelle Une Telle ». Les temps viendraient infailliblement où elle pourrait définir le sens de sa révolution. A cette heure, elle jouait loyalement son rôle de petite planète errante qui cherche sa galaxie pour devenir une étoile.

Dans le bureau de M. Delamotte-Vaillard, un jour que ce dernier essayait à Catherine une robe à danser, Zingel entra, tel Archimède au saut de la baignoire. Il brandit une photographie où souriait une adolescente sur fond de rizières.

— Voici une paysanne de Torrès-Vedra, pur-sang portugais depuis 1620, donc modèle irrécusable. Voyez-vous la bouche d'Amalia?

Catherine et le producteur se penchèrent sur l'instantané pour en déchiffrer le secret.

— Les dents! dit Zingel, triomphant. J'ai cherché des lèvres, mais ce sont les dents qui comptent. Les dents d'Amalia sont larges, éclatantes, sauvages, pas des dents de souris.

— Adorable souris! dit M. Delamotte-Vaillard d'un ton de matou, en prenant la main de Catherine.

— J'ai envoyé une épreuve de cette photographie au meilleur dentiste de Paris. J'ai rendez-vous demain matin et vous m'accompagnerez, dit Zingel.

Catherine revit à cet instant le visage de sa mère, ses anxiétés et ses questions.

— Vous savez, ma chère, dit M. Delamotte-Vaillard, aujourd'hui les dentistes ne font plus mal du tout.

CHAPITRE XI

Au réveillon de Noël, Catherine offrit à sa famille assemblée un spectacle comme seul le cinéma peut en produire. Des oncles enroués, des tantes acides, et de fragiles aïeules restèrent sidérés devant le nouveau visage de « la petite ». Le père et la mère avaient suivi au jour le jour les transformations de leur fille; ils avaient eu le temps de se familiariser avec chaque épisode avant d'aborder la surprise de la péripétie suivante. Au contraire, les autres membres de la famille reçurent de plein fouet le choc des cheveux noirs, du nez retaillé et de la bouche peinte qui s'ouvrait sur une denture incomplète; les virtuoses de la prothèse s'étaient emparés de Catherine mais le travail était loin d'être achevé. Des canines éblouissantes voisinaient avec de pathétiques quenottes taillées en pointe pour recevoir leurs futures jaquettes; des pivots et des bridges en cours de finition ajoutaient l'éclat de leur métal au sourire mutilé. Il y avait là de quoi surprendre les témoins les plus évolués. La pente naturelle de la famille Bricart l'eût inclinée à la malveillance mais le prestige du cinéma faisait barrage à la raillerie. Les journaux regorgent d'histoires d'ingénues désertant le domicile paternel pour courir l'aventure des studios et revenant bientôt dans des voitures rouges et décapotables après avoir gagné des mille et des cents. Lorsque l'enfant prodigue rapporte lui-même le veau gras, souvent même le veau d'or, les enseignements de la parabole sont dépassés. Seule la grand-mère maternelle se risqua à poser une question où l'on reconnaissait l'excessive naïveté de la vieillesse :

— S'ils t'ont choisie, ma petite, c'est qu'ils te trouvaient bien. S'ils te trouvent bien, pourquoi veulent-ils te changer ?

La tablée exposa sans ménagement à l'aïeule que ce genre de problème échappait à sa compétence.

— « Portugal... trois cent millions... Charles Boyer... » Des courtiers en vins, des agents d'assurance, des fonctionnaires jonglèrent avec ces noms et ces chiffres dont le lustre rejaillissait sur eux. La goguenardise qui avait entouré les débuts de la vocation théâtrale de « la petite » ne résista pas à ces fantasmagories. Le cercle de famille s'inclina respectueusement devant cette réussite et M. Bricart s'oublia jusqu'à verser à sa fille un grand verre d'armagnac, abdiquant ainsi dix-huit ans d'autorité souveraine. De tels gestes marquent les vraies dates d'une vie. La jeune fille sut qu'on reconnaissait ainsi son émancipation mieux que par un acte notarié.

Dans les huit jours qui suivirent, Catherine passa chez son dentiste des heures douloureuses au terme desquelles sa mâchoire supérieure fut enfin dotée du profil et de l'éclat souhaités par Zingel. On lui accorda un entracte avant d'entreprendre les travaux de la mâchoire inférieure. Ce répit, Catherine ne put l'utiliser pour rentrer en soi et faire le point de son aventure. M. Delamotte-Vaillard et Zingel l'accaparèrent nuit et jour. Le premier la traînait vêtue de soie sauvage, à des soupers aux chandelles organisés au bénéfice des enfants d'Aubervilliers. Le second exhibait sa découverte dans des ciné-clubs d'avant-garde. Catherine consacrait de pesantes soirées à voir des images saccadées dans lesquelles des héroïnes aux yeux immenses et charbonneux se faisaient enlever par des cheiks, escaladaient des montagnes en robe du soir, se pâmaient sur des divans de macramé, mouraient longuement entre deux sous-titres et deux soupirs muets. Après quoi des fanatiques en cols roulés disséquaient le chef-d'œuvre, exhumaient les intentions cachées, démontraient furieusement que les gaucheries

étaient de l'audace, les ridicules ou les ou-
trances, de la hauteur et que la mauvaise
qualité technique portait la marque du génie.
Comme des marmots qui veulent déjà avoir
un passé, comme les nouveaux riches qui
soupirent après des portraits de famille, les
fervents du septième art aiment à s'inventer
des aïeux légendaires.

Mais la plus grande partie de son temps,
Catherine la passait en compagnie du producteur ou du metteur en scène, dans ces
bars des Champs-Élysées qui sont les hauts
lieux et les laboratoires du cinéma. Elle en
connaissait à présent la faune, ses mœurs, ses
coutumes et ses lois. Autour d'elle, à chaque
heure du jour et de la nuit, cent films s'ébau-
chaient, les millions dansaient autour des
tables, on combinait des distributions, des
alliances internationales; bientôt les cent films
retournaient au néant dont ils étaient sortis
remplacés sur-le-champ par cent autres dont
les images virtuelles s'éclairaient aux lueurs
de capitaux fictifs. Catherine ne participait
pas à cette prestidigitation mais la règle du
jeu voulait que, par sa présence, elle affirmât
son existence au sein de cet univers clos où
les absents ont toujours tort. Aux côtés de
jeunes inconnues, promises comme elle à la
célébrité prochaine, Catherine buvait d'in-
terminables jus de fruits en regardant des
jongleurs vêtus de daim et de chemises écos-

saises donner de la consistance à des fumées.
De nouveaux visages apparaissaient souvent
dans le groupe des futures vedettes; d'autres
disparaissaient. On oubliait leurs noms en
moins d'une semaine. Au rythme de trente-
quatre images à la seconde, le cinéma n'a pas
le temps d'avoir de la mémoire. Il se contente
de la persistance rétinienne.

Noël fut marqué par une nouvelle mutation
des *Amants de Saint-Germain* et un rafraîchis-
sement sensible des rapports entre Zingel
et M. Delamotte-Vaillard. Ce dernier, à l'insu
de son metteur en scène, avait engagé des
tractations avec un important industriel de
Nairobi qui souhaitait mettre ses capitaux à
l'abri du fanatisme Mau-Mau. Le cinéma
semblait à ce colon un élégant moyen d'évasion. La combinaison impliquait évidemment
que le film fût réalisé sur place, ce qui n'allait
pas sans modifier l'esthétique du *Batelier du
Tage*. Moins pourtant qu'il ne semblait, car
un scénariste appelé en consultation proposa
des aménagements permettant de transposer
l'histoire tout en conservant les grandes lignes,
sous le nouveau titre : *Si le Kenya m'était
conté*.
Zingel n'apprécia pas cette émigration sup-
plémentaire, et le dit vigoureusement à son
producteur :

— Mettons cartes sur table! Que cherchez-vous à faire? Tourner un film ou tourner la loi sur le contrôle des changes?

Pour vaincre les réticences de son metteur en scène, M. Delamotte-Vaillard brossa vainement le tableau des séductions africaines, de la majesté des paysages, des ressources du folklore, de l'envoûtement de cette âme primitive qui... Zingel resta de glace. Il fallut, pour qu'il faiblît, la promesse d'un tremblement de terre assorti d'un typhon en couleurs et en cinémascope. Encore exigea-t-il, en prime, une charge d'éléphants dans les faubourgs de Mombasa.

— Quant à Catherine...? dit Zingel.

Catherine était le seul pion qui n'eût pas de place sur le nouvel échiquier. Certes, cela était fâcheux, mais qu'y faire? M. Delamotte-Vaillard et Zingel discutèrent mollement l'éventualité de la reclasser dans un petit rôle, mais ils s'accordèrent à conclure qu'elle cessait d'être utilisable au-delà d'une certaine latitude. Le Portugal était le Sud le plus extrême dont le type physique de Catherine pût s'accommoder.

La jeune fille connut sa disgrâce au soir du premier janvier. M. Delamotte-Vaillard fut enjoué, paternel et tendre.

— C'est un léger accroc dans une carrière qui, je le sais, sera brillante. A votre âge, ma chère, ces déceptions ont bien peu d'importance! Un film de perdu, cent de retrouvés.

Catherine était déjà trop au courant des usages cinématographiques pour s'indigner, trop lucide aussi pour ne pas ressentir la cruauté de l'aventure.

— Au reste, ce n'est que partie remise. Je suis sûr que dans un prochain film...

Catherine accepta cette consolation dérisoire en sachant bien que ce n'était là qu'une formule, un réflexe de politesse. Les miracles n'arrivent pas deux fois.

— Ce qui me pèse le plus, ma chère..., dit M. Delamotte-Vaillard...

Catherine ne pouvait en vouloir à personne. Elle n'était victime d'aucune malveillance délibérée, d'aucune machination. Le froid qui la saisissait à cette minute, elle ne pouvait pas même le combattre par une tonique révolte. Rien dans cette histoire n'avait de quoi choquer la logique du monde cinématographique.

— Ce qui me pèse le plus, est l'idée de vous quitter bientôt, car je dois partir pour le Kenya afin de...

M. Delamotte-Vaillard envisageait avec délectation l'idée de faire passer des auditions à des vierges noires aux seins lourds, à la conscience menue et aux prétentions modestes.

— Tout cela est déplorable, ma chère, mais vous avez dix-huit ans! Et puis, vous ne perdez pas tout; je suis bien heureux de penser que, grâce à moi, ce joli visage est désormais parfait.

Le soir, dans sa chambre de petite fille, Catherine regarda longuement le visage que M. Delamotte-Vaillard avait caressé d'une main satisfaite. A la racine des cheveux resurgissait une blondeur qui accusait les noirs excès de la teinture. D'imperceptibles cicatrices cernaient le dessin du nez de pékinois. Les dents du haut, miraculeusement parfaites, s'affrontaient aux dents du bas que le dentiste n'avait pas eu le temps de remplacer. Catherine vit les yeux de Toove qui pleuraient, le nez d'une Irlandaise morte avant d'avoir vécu, les cheveux d'Amalia et cette bouche monstrueuse où luttaient deux personnages, mi-rayonnante, mi-désespérée et dont la grimace était comique.

Elle se souvint de ses vacances d'enfant au Pouliguen. En bordure de la plage se dressait un hôtel qu'on avait voulu somptueux. A la suite de quel drame les travaux, presque achevés, avaient-ils été interrompus? Pourquoi avait-on abandonné cette ruine neuve? Il n'y manquait que les portes et les fenêtres. L'effet était saisissant. Les enfants de la plage avaient trouvé un surnom : Squelettic-Hôtel.

Soudain Catherine eut peur de cette première rencontre avec la solitude. Partant à la découverte d'un nouveau monde, elle avait dénoué les amarres qui l'attachaient à l'ancien. Voici que son nouvel univers la rejetait sans qu'elle pût faire marche arrière.

Isolée dans un no man's land, elle se trouvait beaucoup plus que seule, sans la ressource dernière du tête-à-tête avec soi-même. Version inédite de l'homme qui a perdu son ombre, elle avait perdu son reflet.

Catherine détourna les yeux du visage hostile que son miroir lui opposait. Dans le silence de sa chambre elle ne reconnut pas les battements de son cœur. Elle éteignit sa lampe de chevet pour tenter de voir clair dans sa nuit intérieure mais la jeunesse est l'âge de la myopie.

Cette nuit du premier janvier fut pour Catherine celle d'une quête dolente. A travers les caresses d'Antoine, les teintures des maquilleurs, les sollicitations de M. Delamotte-Vaillard, les articles des journaux, la « nouvelle Une Telle » s'épuisa à retrouver les traces de la Catherine d'hier. Les souvenirs vinrent, dociles, mais leur puzzle refusa de s'ajuster.

— Je ne suis pas la première fille qui se fait opérer le nez, voulut se dire Catherine.

Mais elle éprouva le pincement d'une cicatrice profonde, comme si les outils du chirurgien lui eussent arraché moins de lambeaux de chair que de parcelles d'âme.

CHAPITRE XII

Le matin du 2 janvier, le soleil ne se leva pas sur le quartier Saint-Lazare. Ce fut la faute des nuages d'hiver combinés avec la suie des cheminées. Les habitants ne se levèrent qu'à grand mal. Ce fut la faute du saint-honoré de la veille combiné avec les sauternes de l'avant-veille. Une atmosphère de tristesse jaune s'appesantit sur la ville. C'était le climat qui convenait à l'épilogue d'un drame dont les protagonistes ne se connaissaient pas.

Au cinquième étage du numéro 6 de la rue du Havre, une petite fille rousse de trois ans, nommée Constance, s'éveilla de méchante humeur, à cause d'un rêve dans lequel une boîte de pralines se transformait en bobine de fil noir à l'instant où elle voulait la saisir. La petite fille passa en revue les sottises qu'elle pourrait commettre pour se venger de ce mauvais songe. Elle commença par aller renverser son bol de chocolat sur la moquette du salon mais cette facétie ne lui apporta point les satisfactions attendues.

A sept heures trente, Julien prit son train à la gare de Ville-d'Avray. Pendant deux nuits et un jour, isolé dans sa chambre, il avait vécu une humble et discrète agonie. Entre ses quatre murs, recouverts de ce papier beige granité dont les meublés ont le secret, il avait eu soudain clairement conscience que plus jamais il ne pourrait se passer d'autrui. Ces sourires de gosses, ces regards bienveillants que, pendant un mois, il avait thésaurisés, lui manquaient à présent aussi cruellement qu'une drogue. Certes les uns et les autres s'adressaient moins à lui qu'à sa barbe, Julien le savait, mais par défroque interposée il avait goûté à la chaleur humaine. Désormais, il était contaminé.

A sept heures quarante, la mère de Catherine dit :

— Ma chérie, tu as une mine épouvantable.

François arriva en avance à la gare de Garches. Il se sentait léger, déchargé d'un souci. La décision qu'il avait prise le soir de Noël le reportait au temps où les jeux n'étaient pas joués, où chaque jour contenait une promesse d'aventure. Il savoura par avance le visage que ferait Mme Benett-Desbordes lorsqu'il lui dirait... Au fait, que lui dirait-il ?

Un contrôleur entra dans le wagon de Julien. Il poinçonna les tickets et les cartes d'abonnement mais passa devant le vieil homme sans rien lui demander. Julien sut qu'il était redevenu transparent, que tout recommençait comme les mois précédents, que tels seraient les mois à venir et les années.

— Ma petite Cathy, dit Mme Bricart, je ne sais pas s'il est bien prudent que tu ailles au cours ce matin. Tu as dû attraper la grippe. C'est une épidémie, tu sais, le facteur m'a dit que...

Catherine tenait à assister au cours. A ce cours-là tout spécialement, le dernier où elle serait encore « la nouvelle Une Telle ». Personne n'avait eu le temps d'apprendre sa chute; elle n'avait rien confié à ses parents. Non point par crainte ou par honte; mais Catherine avait besoin de ce répit de vingt-quatre heures. Il fallait qu'elle se raccroche à quelque chose ou à quelqu'un. Ce qu'elle cessait d'être, Catherine voulait bien en faire l'abandon mais elle devait d'abord se retrouver sous peine de disparaître. Amalia morte, il fallait que quelqu'un vive.

Catherine s'habilla soigneusement. Dans la penderie, elle écarta les cadeaux de M. Delamotte-Vaillard et décrocha une robe de drap grège, la dernière qu'elle eût choisie elle-même, payée elle-même.

Après une nuit blanche, le scénariste de *Si le Kenya m'était conté* relut son travail avec satisfaction. Ignorant les avatars des *Amants de Saint-Germain*, il songea que l'histoire dont il venait de parfaire les rebondissements offrait le point de départ d'un excellent roman. Un roman qui possédait en germe toutes les qualités requises pour obtenir le prochain Prix des Dix. L'avenir devait lui donner raison.

Dans le train qui l'emportait vers Paris, François mit au point le discours qu'il destinait à Mme Benett-Desbordes.

— Non, ce n'est pas une démission. Tout au contraire, la démission, pour moi, consisterait à continuer ce travail. Oui, je comprends que ma décision vous paraisse brutale. C'est que, voyez-vous, j'approche du « point of no return » au-delà duquel on ne peut plus changer de route. Or, je ne veux pas cirer toute ma vie les parquets de tante Jeanne.

« Elle n'y comprendra rien », se dit François.

A huit heures, Catherine monta dans le train au Pecq et Julien sortit de la gare Saint-Lazare. Il se sentait las comme on l'est à la veille d'une maladie grave; les symptômes ne sont pas encore déclarés mais l'organisme sait qu'il va être frappé dans ses zones vitales. Julien louvoya machinalement pour déborder le feu rouge de la rue du Havre. Dans la lumière réticente du petit jour la marée montante des banlieusards l'entraîna jusqu'à l'angle du numéro 6.

Au cinquième étage, la petite fille rousse,

lasse de pleurnicher, se mit à jouer avec un cendrier de cristal. Elle trouva deux plaisirs à cette occupation : l'objet rendait en roulant un son agréable, et les parents défendaient formellement qu'on y touche.

Tandis que défilait devant sa vitre le diorama des banlieues lépreuses, Catherine s'efforça de retrouver quelques-unes de ses pensées anciennes et de reprendre un certain poids sur la terre. Mais les idées se brouillaient aussitôt formulées comme ces images que le train escamotait dans sa course. Ce train, où allait-il ? Catherine se rendait compte que le Maître ne serait plus jamais qu'un professeur, que le cours n'était plus un refuge, qu'Antoine n'avait été qu'un expédient. Ce train n'allait nulle part, ni vers quelque chose, ni vers quelqu'un.

Julien ouvrit sa mallette. Soufflant de la vapeur dans l'air humide et sale, la foule faisait ses premiers pas dans la nouvelle année. Chacun retrouvait ses problèmes oubliés dans l'euphorie des fêtes. Les soucis volaient bas.

— Tentez votre chance...

Bercé par la chanson des rails, François se souvint des vers de Baudelaire :

Les uns, joyeux de fuir une patrie infâme...

Cette fuite inconsciente qui avait été jusque-là le trait dominant de son attitude, il lui semblait en voir le bout. La découverte qu'il avait faite un soir de décembre, dans ce bistrot avec ses amis, lui semblait à présent une vérité évidente, proche de la lapalissade : ne pas se contenter d'attendre. Il sourit à l'idée que son chemin de Damas était passé par un bar de Saint-Germain-des-Prés.

La voisine de François prit pour elle ce sourire et y répondit avec affectation. Il ne donna pas suite à une possible prise de contact mais cet épisode le fit songer à Irène. De l'amour aussi, il avait trop attendu sans rien vouloir donner.

Une pluie fine mêlée à la suie du quartier se mit à tomber sur Saint-Lazare. Julien referma sa mallette pour mettre ses dixièmes à l'abri. Ce geste prit soudain pour lui une valeur symbolique. Il sut qu'il n'aurait plus le courage de recommencer à proposer dans le désert des mirages de fortune. Il était arrivé au terme de l'épuisant effort qui lui avait permis si longtemps de supporter que l'univers soit composé de bouches qui ne parlent pas, d'yeux qui ne voient pas, de téléphones qui sonnent pour d'autres et de facteurs qui ne frappent à la porte qu'une fois l'an, à l'époque des étrennes. Jusqu'à cette heure, Julien avait assumé sans faiblesse le fardeau de la solitude, mais la mesure était comble. Du fond de sa mémoire resurgit l'histoire de la chèvre de M. Seguin qui lutta toute la nuit contre le loup avant de s'allonger volontairement sur l'herbe froide. « Et au petit jour, le loup la mangea. » Le petit jour était venu de cesser le combat et de rendre les armes. Julien ne s'avisa pas qu'il pleurait. Ceux qui le frôlaient mirent sur le compte de la pluie les gouttes qui roulaient sur le visage du vieil homme. Dans le concert des faces humides, Julien, un fois de plus, passa inaperçu.

A huit heures quarante et une, François descendit sur le quai de la gare Saint-Lazare et se prit à craindre qu'il n'y eût un peu de littérature dans sa nouvelle détermination. Cela ressemblait au « je repars à zéro » des mauvais films d'aventure. Il ne s'arrêta pas à ce scrupule. La vie elle-même, et la plus quotidienne, se charge souvent d'être très littéraire et de ressembler aux histoires les plus artificielles. En fin de compte, la peur du ridicule est moins un garde-fou qu'une barrière.

Le train de Catherine, après un arrêt à Pont-Cardinet, reprit sa course sous la pluie. Celle-ci sur les vitres traçait des labyrinthes. Dans onze minutes, Catherine serait à Paris avec, devant elle, la perspective d'une nouvelle journée, d'une nouvelle année, d'une nouvelle vie. Au seuil de ce départ, elle souhaita désespérément que quelqu'un lui prît la main pour faire avec elle un bout de la route, quelqu'un qui ne la connût pas, avec qui elle eût le loisir de se créer un univers commun. Il fallait d'évidence que ce quelqu'un fût neuf, puisque tous les amis de Catherine appartenaient à des temps révolus et qu'ils avaient sombré dans sa propre faillite.

La grosse femme de huit heures quarante-deux passa devant le numéro 6 de la rue du Havre, le mouchoir sur le nez, maugréant de confuses imprécations contre les saisons, les dieux et les rhumes. Julien Legris la regarda disparaître sans l'émotion dont il l'accompagnait jadis. Dans deux minutes, François serait là. Quelle importance? Cela aussi était un échec. A cet instant, Julien mesura l'infantilisme de ce roman qu'il avait construit sur des brumes. François, Catherine... Rien ne peut être changé à l'ordre des choses. Julien resterait un homme seul. François et Catherine continueraient à se hâter, chaque matin, à onze minutes de leur rencontre, de leur bonheur peut-être et nul n'y pouvait rien.

Au cinquième étage, la petite Constance se lassa de faire rouler le cendrier de cristal. Elle passa en revue les sottises assez insignes pour apaiser ses ressentiments. Son parti pris, elle n'hésita pas. Projeté par une main sans faiblesse, le cendrier traversa la fenêtre avec un bruit exquis et la petite fille, enfin sereine, s'assit pour attendre la correction maternelle.

Sous le choc du lourd objet, Julien tituba

et fut happé par la foule avant de s'abattre en bordure de la chaussée dans un tonnerre de coups de freins et de hurlements. Pardessus la pluie et les larmes, un filet de sang coula, maquillant le visage trop pâle aux couleurs du drame et le rendant ainsi pour la première fois remarquable. Avant de fermer les yeux, Julien vit ce spectacle inouï : des êtres humains penchés vers lui, compatissants, émus, fraternels.

Puis, sans trop le savoir, il s'évada de sa prison de solitude par la seule porte qui lui était offerte.

François fut parmi les premiers qui s'empressèrent autour du corps inerte.

La mort de Julien Legris n'était pas destinée à faire grand bruit. Pourtant, à l'échelon local, elle prit quelque temps l'allure d'un événement considérable. Les matins de la rue du Havre n'offrent aucune place à l'inattendu. Nul piéton, nul véhicule ne peuvent sortir du rang sans engendrer l'anarchie. Sur le trottoir, un bouchon de spectateurs s'agglomera, bloquant la marche du torrent et le faisant refluer vers sa source. L'autobus que Julien avait frôlé dans sa chute s'immobilisa dans l'attente d'un constat et, derrière lui, cent voitures se trouvèrent frappées de paralysie. Le corps du vieil homme fut le grain de sable dans un mécanisme fonctionnant aux limites du possible. En moins de deux minutes la rue du Havre devint une marmite de sorcière agitée de remous contradictoires. On réclamait un médecin, un prêtre, une ambulance, des agents... Les uns et les autres ne parvenaient pas à se frayer un chemin.

Le train de Catherine ralentit pour entrer en gare.

Julien eût été honteux de cette mise en scène. Tout un quartier s'apitoyait avec le sadisme compatissant qui est de règle. A cause de la pluie qui faisait baisser les nez dans les cols, nul n'avait vu la chute du cendrier et l'on s'interrogeait sur cette mort subite. La foule n'aime rien tant que le mystère et cet épilogue trop spectaculaire d'une vie trop discrète avait de quoi la séduire. Les Nord-Africains qui vendaient des cravates à la sauvette s'efforcèrent de disparaître promptement, de crainte d'avoir à prouver qu'ils n'étaient pas coupables. Des rumeurs coururent. Certains n'étaient pas éloignés d'avoir entendu un coup de feu.

En quittant la gare Saint-Lazare, Catherine se heurta à la foule piétinante de la rue du Havre.

Il avait donc fallu le caprice d'un enfant et la mort d'un vieillard pour renverser le cours des hasards. Soixante années d'une vie sans objet trouvèrent en un instant leur justification : l'abolissement de onze minutes.

Pour la première fois, Julien se trouva

entouré de tous les pantins de son théâtre d'ombres : la grosse femme de huit heures quarante-deux, revenue sur ses pas avec gourmandise, la brunette et son blouson de cuir de huit heures quarante-trois, l'agent de police de huit heures quarante-six, la femme enceinte de huit heures quarante-neuf, l'encaisseur de huit heures cinquante, l'ecclésiastique de huit heures cinquante-trois...

Les automobilistes énervés commencèrent à klaxonner en chœur. Julien entreprit son premier et dernier grand voyage, salué comme un souverain par les sirènes du port.

Un brassage de la foule porta Catherine près de François. Ils se trouvèrent serrés l'un contre l'autre, étroitement réunis.

— Qu'est-ce qui s'est passé? demanda Catherine.

La pluie tombait drue à présent et tous les spectateurs semblaient verser des larmes. Peut-être y avait-il un peu plus de pluie qu'ailleurs sur le visage de François.

— Un dénouement classique, dit-il. Le 2 janvier, tous les Pères Noël meurent plus ou moins.

La singularité de la réponse surprit Catherine et la rendit attentive. Elle déchiffra sur les traits de son voisin plus d'émotion que n'en impliquait le spectacle banal d'un accident.

— Vous le connaissiez? dit-elle.

Un car de Police-Secours réussit à se frayer un chemin. Le corps de Julien fut escamoté comme dans un tiroir.

— Je le connaissais à peine, dit François, il se cachait derrière des billets de loterie, derrière des barbes...

Les groupes se dénouèrent et les courants de la rue du Havre se rétablirent aussitôt que l'ambulance eut refermé ses portes. Lorsque le principal acteur d'un drame quitte la scène, l'intérêt tombe en même temps que le rideau. François et Catherine se trouvèrent entraînés côte à côte vers le boulevard Haussmann.

— De quoi est-il mort? dit Catherine.

François ne s'était pas posé la question. Elle lui semblait vaine. La mort convenait à Julien Legris. On était plutôt tenté de se demander : « De quoi est-il né?

— C'était un homme étrange, dit François. A cette place où il est mort, il m'avait assigné un rendez-vous avec...

Il regretta de s'être souvenu à haute voix. Sans doute tuerait-il une nouvelle fois le vieil homme en racontant ce pitoyable roman de la jeune fille blonde...

— ...faite pour vous, disait Julien, il faut me croire.

François sourit en regardant les cheveux noirs de la voisine que le hasard lui donnait.

« ... Elle semble très douce, disait Julien, elle a l'air joyeux. »

François vit la mélancolie inscrite sur la bouche fardée et la gêne des dents hétéroclites.

« ... Vous l'aimerez, disait Julien, j'en suis sûr. »

— Rendez-vous avec qui ? interrogea Catherine.

— Personne ne le saura jamais, dit François.

En arrivant au carrefour du boulevard Haussmann ils n'amorcèrent pas le mouvement qui les eût séparés, François à gauche, Catherine à droite. Ils continuèrent à marcher vers la Madeleine, chacun croyant suivre l'autre.

Une nouvelle histoire commençait, dont les acteurs ignoreraient toujours les racines profondes. Qui pouvait démêler les rapports d'une mort et d'une rencontre ? Au reste, qui se soucie de cet entrelacement de causes invisibles, d'effets inconnus qui tissent la trame de nos jours et qui forment la véritable communion des hommes ?

DU MÊME AUTEUR

*Cet ouvrage a été composé
et achevé d'imprimer par l'Imprimerie Floch
à Mayenne le 18 avril 1985.
Dépôt légal : avril 1985.
1ᵉʳ dépôt légal dans la même collection : juin 1972.
Numéro d'imprimeur : 23031.*

ISBN 2-07-036127-6 / Imprimé en France.
Précédemment publié par les éditions Denoël
ISBN 2-207-20392-1

35665